... en een bruisend nachtleven zoals in de Calypso Cabaret horen in Bangkok bij elkaar zoals dag en nacht

12 Hoogtepunten

Extra-routes

17 Extra-tips

Bangkok op internet

Surftips

De meeste Bangkok-sites zijn in het Engels of hebben een Engelse versie.

Landencode: .th

Algemene informatie

www.tourismthailand.org
www.tat.or.th
Websites van de *Tourism Authority of Thailand* met nuttige informatie bij de planning en organisatie van een reis naar Thailand.

www.experiencethailand.com
Algemene toeristische informatie, tips over hotels, eten en drinken.

www.thailand.com
Belangrijke informatie over de voorbereiding van een reis en met name over winkelen en export. In de *online-shop* zijn Thaise produkten te koop.

www.bangkokbob.net
Leuke website met veel informatie over Bangkok.

bangkok.pagina.nl
Veel links naar websites over Bangkok.

www.bmta.co.th
Officiële website van de Bangkok Mass Transit Authority met informatie over de routes van alle stadsbussen.

www.touristpolice.go.th
Website van de Bangkok Tourist Police met actuele tips voor uw veiligheid.

www.bangkokpost.com
Nieuws uit de regio, festiviteiten, tips over hotels, eten en drinken, valutakoersen en weerberichten.

www.groovymap.com
Tips over het nachtleven, overzicht van de uitgaansagenda.

www.bangkoktonight.com
Veel adressen van clubs en bars om uit te gaan.

www.pix-asia.com
Homepage van de Photo Library van de Australische fotograaf John Everingham. Mooie fotogalerie met fraaie foto's uit Thailand en de buurlanden.

Hotelreserveringen

Voor het reserveren is een prijsvergelijking op internet de moeite waard. Veel hotels hanteren internettarieven die vaak ver beneden de zogenaamde *rack rates* liggen. Nog lagere tarieven vindt u soms bij internet-reisbureaus. Let u er wel op dat deze reisbureaus voor de bevestiging en toezending van de hotel-vouchers in de regel minstens 1 à 2 dagen nodig hebben.

www.hotelpricechecker.com
Verschillende internet-reisbureaus met prijsvergelijking en links naar de betreffende hotels, voornamelijk in de luxere categorie.

www.hotelthailand.com
Hotels alfabetisch en naar prijsklasse (US$) geordend, ook heel goedkope hotels.

www.planetholiday.com
Actuele tarieven en kortingen van hotels in de midden- en luxere categorie met links naar de hotels.

www.siam.net
Hotels in alle categorieën naar prijsklasse geordend (in dollars), zeer grote keus.

Weer

www.weeronline.nl
Actueel weerbericht van Bangkok en Thailand.

Sawat

Het is druk voor de Wat Traimit: bezoekers trekken hun schoenen uit of juist weer aan, vrouwen verkopen slingers van jasmijn, het offer voor de 'Gouden Boeddha'. Terwijl gelovigen voor dit van puur goud gemaakte beeld knielen, raast voor de poort van de tempel het verkeer langs, vermengt zich de geur van wierook met die van de uitlaatgassen. Bangkok is geen stad die de bezoeker bij eerste aanblik

ANWB EXTRA

Bangkok

Roland Dusik

Inhoud

Kalmte, gelijkheid en geduld
in het boeddhistische klooster...

Sawat-dee!

Te gast in Bangkok

-dee!

betovert. De 'stad der engelen' is voornaam maar vervuild, mooi maar vervallen. Elegantie en teloorgang, rijkdom en armoede, met lotus behangen schrijnen en chaotisch verkeer, monniken en meisjes van plezier, de glitter van de tempels en smoezelige sloppenwijken zijn slechts enkele van de tegenstellingen van een van de meest

Sawat-dee!

Dansuitvoering in de Lak Muang...

Welkom in de 'stad der engelen'

's Ochtends vroeg, als de stadslucht nog niet is verzadigd van de uitlaatgassen, verspreiden ze zich. In lange rijen, op blote voeten en met kale hoofden begeven de monniken zich in saffraankleurige gewaden door de oude binnenstad van Bangkok. Ze houden hun bedelschoteltjes voor langs de weg knielende mannen en vrouwen, die er dan aalmoezen en hapjes op leggen. De monniken bedanken de gevers nooit, ze vervolgen na ontvangst van het offer waardig zwijgend hun weg.

Het boeddhisme – de basis van de Thaise cultuur

In de Thaise filosofie van de goede daden geldt het geven van een aalmoes als een eer, als een gelegenheid om een gunstiger bestaan in een volgend leven te veroveren. Het boeddhistische geloof in het zogenoemde karma schrijft immers voor dat het lot in een volgend leven door de houding in het huidige bestaan wordt bepaald; het zijn dus de gevers die dankbaarheid moeten betonen.

Elke Thaise man moet ten minste één keer in zijn leven het gewaad van een monnik gedragen hebben, om zich te wijden aan de zoektocht naar de boeddhistische zegen – ook in de hectische metropool Bangkok.

Naarmate de hemel door de ochtendzon oranjerood kleurt, worden de contouren zichtbaar van de Prang, de centrale heilige toren van Wat Arun. *Arun* is Sanskriet voor morgenrood, en inderdaad is de zonsopkomst hier heel fraai, de sfeer welhaast mystiek.

Op de Mae Nam Chao Phraya varen regelmatig motorbootjes langs die een sleep vrachtsloepen achter zich aan trekken. In het ochtendlicht oogt de rij vrachtbootjes als een kudde buffels die gedwee achter hun leider aan sjokken. Als de zon opkomt boven de rivier de Chao Phraya, de door de stad meanderende levensader van Bangkok, zou u bijna vergeten dat u zich in een door uitlaatgassen verpeste stad bevindt. U waant zich in vroeger tijden, toen de stad de residentie was van de koningen van Siam, toen er nog geen asfalt bestond en de vele kanalen van Bangkok haar tot het Venetië van het oosten maakten. Na de verwoesting van de hoofdstad Ayutthaya, in 1767 door de Birmanen, vestigde Rama I zich in Thonburi aan de Mae Nam Chao Phraya; 15 jaar later verplaatste hij zijn hof om strategische redenen naar de andere kant van de rivier, naar Bangkok – of eigenlijk Bang Makok, dat letterlijk 'dorp der olijven' betekent.

... en de wijding van monniken in de Wat Sakhet, een feest voor iedereen

De koning noemde de nieuwe metropool 'stad der engelen, grote stad der onsterfelijken, verhevene, met juwelen bezaaide stad van de god Indra, zetel van de koning van Ayutthaya, stad der fonkelende tempels, oord der koninklijke paleizen en paleisjes, onderkomen van Vishnu en alle goden'. De officiële naam bestaat in transcriptie uit ongeveer 170 letters en haalde daarmee het Guinness Book of Records als de langste plaatsnaam ter wereld.

Een monarch voor de zekerheid

De geschiedenis van Bangkok is identiek aan de geschiedenis van de regerende Chakri-dynastie. Alles wat Bangkok aan monumenten en historische gebouwen te bieden heeft, dateert van de laatste 200 jaar van de heerschappij van de Rama-koningen die door de Thaise bevolking aanbeden worden.
Tot 1932 regeerden de Thaise koningen als absolute heersers, en ook tegenwoordig oefent koning Bhumipol Adulyadej, de negende Rama, als constitutioneel monarch nog grote invloed uit. Hij is de beschermheer van de natie, hoeder van het boeddhistische geloof en de hoogste morele autoriteit van het land. Voor hem, voor zijn familie en voor de symbolen van zijn heerschappij heerst alom het grootste respect. Ten tijde van de onlusten die Bangkok tegen het einde van de 20e eeuw troffen, was hij steeds een rustgevende factor.

Bangkok nu

Tegenwoordig presenteert Bangkok zich als het politieke, economische en culturele hart van Thailand. In de stad wonen zes tot acht miljoen mensen, het precieze aantal weet niemand, en daarmee is het ongeveer vijftig keer zo groot als Chiang Mai, de tweede stad van het land. In Bangkok woont de koninklijke familie, bevinden zich het parlement en de ministeries, en heeft zich tweederde van alle industrie van het land gevestigd.
Sinds halverwege de 20e eeuw zijn honderdduizenden Thai, met name uit het arme noordoosten, uit hun dorpen vertrokken om hun geluk in Bangkok te beproeven. Als goedkope arbeidskrachten droegen ze bij aan de economische hoogtijdagen van het land in de jaren tachtig.
Thailand was in die tijd het economische paradepaardje van Zuidoost-Azië. De groeicijfers zwollen in die tijd aan tot hoogten die eerder slechts weggelegd leken voor de vier 'tijgerstaten' Hongkong, Taiwan, Singapore en Zuid-Korea.
Jarenlang groeide Bangkok ook letterlijk tot grote hoogte, en het silhouet

van de stad veranderde welhaast dagelijks. Kantoorruimte was schaars, want Thailand wilde zich opwerken tot de economische grootmacht van de regio. Na jarenlange groei volgde tegen het einde van de 20e eeuw de economische neergang, die men echter verrassend snel de baas geworden is.
De economische malaise heeft de populariteit van Bangkok bij toeristen niet aangetast. Per jaar arriveren op Don Muang, het vliegveld ten noorden van de stad, meer dan zes miljoen bezoekers. Tijdens de 25 km lange taxirit naar het stadscentrum herkent de bezoeker niets van de glanzende brochures van toeristenbureaus en touroperators. De moderne snelweg raast door een stedelijk gebied waar beton het beeld bepaalt; het exotische Thailand is nergens te bespeuren.
Eeuwenlang was een weloverwogen stedelijke planologie een kenmerk van Bangkok, maar daaraan heeft de economische bloeitijd een wreed einde gemaakt. Bangkok kent nu ook geen echt centrum meer.
De snelweg mondt uit in smalle straatjes, waar het verkeer stapvoets voortbeweegt. Op kruisingen proberen politieagenten met vermoeide armen te regelen, wat niet meer te regelen valt. Bangkok wordt dagelijks door een lawine van blik overspoeld, en de infrastructuur heeft geen gelijke tred gehouden met de ontwikkeling van de metropool.

'Mai pen rai' – de sleutel tot de Thaise kalmte

Het fascinerende van deze chaos is de vanzelfsprekendheid van de hele situatie, het onverstoorbare geduld van de mensen dat een beeld van uiterste

De tuk-tuk omzeilt ook de hardnekkigste verkeersopstoppingen

kalmte en volmaakte overgave aan het onveranderlijke weerspiegelt. '*Mai pen rai*', zegt men in Bangkok: 'Dat hindert niet', waarna men zijn lot aanvaardt.
Volgens de leer van het Theravada-boeddhisme, dat diep geworteld is in Thailand en een levenslustige symbiose tussen animisme en folklore aanging, is niets in dit leven duurzaam. Waarom zou men zich dan niet een stad als Bangkok laten welgevallen? Met haar onmiskenbare schaduwzijden, zoals de verkeerschaos en de luchtvervuiling, de overbevolking en de sociale ongelijkheid, mag Bangkok dan een monster lijken, de Thaise metropool is ook een vitale, veelzijdige stad.
Bangkok maakt het de bezoeker niet eenvoudig. De charme van de stad openbaart zich niet op bestelling en de bezienswaardigheden worden niet op een toeristisch presenteerblaadje aangereikt. Fascinerend aan Bangkok is de combinatie van traditioneel en modern, westers en oosters, harmonie en chaos, opgewektheid en melancholie. 'Stad der engelen' en 'hoofdstad van de zonde' – Bangkok heeft niet alleen vele namen, ze draagt ook voor elke incarnatie een bijpassend gezicht.
Achter de trieste betonkolossen staan prachtige oriëntaalse gebouwen met getrapte daken waarvan de glanzende dakpannen in de zon liggen te glinsteren. Het ene ogenblik riskeert u nog uw leven bij het oversteken van een van de drukke verkeersaders van de stad, even later bevindt u zich in een van de 400 tempels en luistert u naar het ritmische zingen van de monniken. Daarnet wandelde u nog door een modern winkelcentrum, kort daarop zit u op een *khlong*-boot en vaart u door een wereld waar het hart van het verleden nog klopt. Het zijn juist deze soms verwarrende tegenstellingen die de stad haar onmiskenbare, volstrekt unieke uitstraling bezorgen.

Bangkok in cijfers

Bevolking: Thailand heeft circa 62 miljoen inwoners. De hoofdstad Bangkok (Thaise naam: *Krung Thep*) is met 6–8 miljoen inwoners (agglomeratie zo'n 10 miljoen) de grootste stad van het land. De bevolkingsgroei bedraagt 1,5%, de gemiddelde levensverwachting is bijna 70 jaar. 95% van de Thai belijden het Theravada-boeddhisme.
Oppervlakte: Thailand beslaat 514.000 km^2, Bangkok ongeveer 2000 km^2, de bevolkingsdichtheid ligt hier op 3000–4000 inw. per km^2, bereikt in bepaalde stadswijken aantallen van 10.000 inw. per km^2.
Ligging: Bangkok ligt in Midden-Thailand, ongeveer 20 km ten noorden van de Golf van Thailand (Ao Krung Thep). Door de stad stroomt de Mae Nam Chao Phraya, met 850 km de langste rivier van Thailand (Mae Nam betekent 'moeder van het water', Chao Phraya is een hoge adellijke titel).
Economie: Exportgeoriënteerde lichte industrie (45% van het bruto nationaal product, belangrijkste exportgoederen: textiel, computeronderdelen, plastic producten, edelstenen), landbouw (10% van het bruto nationaal product, export van rijst). Een belangrijke bron van deviezen is het toerisme (meer dan 6 miljoen toeristen per jaar).
Tijd: Nederlandse tijd plus zes uur. Tijdens de Europese zomertijd wordt het verschil een uur kleiner.

Geschiedenis

De voeten van Boeddha als altaar voor offergaven – Wat Indraviharn

6e–9e eeuw	In het huidige Thailand stichten Mon-volken koninkrijken. De uit China afkomstige Thaise stammen die daar het koninkrijk Nan Chao stichtten, worden naar het zuiden gedreven en richten in de buurt van de Mon kleine stadstaten op.
10e–13e eeuw	De Khmer die verwant zijn met de Mon, heersen vanuit Cambodja over een rijk dat ook grote delen van het huidige Thailand beslaat. De Mongolenvorst Kublai Khan verovert het Nan-Chao-rijk en veroorzaakt een nieuwe volksverhuizing van de Thai in zuidelijke richting.
1238	Stamhoofden van de Thai maken zich los van de heerschappij van Angkor en stichten het eerste onafhankelijke Thaise koninkrijk; de hoofdstad is Sukhothai.
1279–1298	Bloeitijd onder koning Ramkamhaeng. Het Hinayana-boeddhisme wordt staatsreligie.
rond 1350	Rama Thibodi I verovert Sukhothai en sticht Ayutthaya als hoofdstad van zijn rijk Sayam (Siam).
1431	De Thai veroveren Angkor en nemen het hofceremonieel en de wetten van de Khmer over.
1584	Prins Naresuan verdrijft de Birmezen uit Ayutthaya, die de stad in 1569 hadden veroverd.
1767	Birmese troepen verwoesten Ayutthaya.
1782	Rama I, de stamvader van het Thaise koningshuis, verplaatst de hoofdstad naar Bangkok.
1851–1868	Rama IV wendt door een slimme alliantiepolitiek het gevaar dat Thailand wordt gekoloniseerd af.

1868–1910	Rama V schaft de slavernij af, moderniseert de infrastructuur en voert een eigentijds onderwijssysteem in.
1932	Militairen en burgers plegen zonder bloedvergieten een staatsgreep; de koning blijft constitutioneel staatshoofd. Terwijl corrupte militairen in de daaropvolgende decennia het land regeren, vechten intellectuelen en liberalen voor democratie.
1939	De naam Siam wordt officieel vervangen door Thailand ('land der vrijen').
1941–1945	Thailand wordt door Japan bezet en verklaart als bondgenoot van Japan de oorlog aan Groot-Brittannië en de VS. Na de oorlog sluit men vredesverdragen met de geallieerden.
1946	Koning Bhumipol Adulyadej (Rama IX) bestijgt de troon. Hij is momenteel de langstzittende vorst ter wereld.
1965–1976	Thailand laat de VS tijdens de Vietnam-oorlog militaire bases op zijn grondgebied aanleggen.
1973	Studentendemonstraties leiden tot de val van het militaire regime en tot democratische hervormingen.
1976	Een staatsgreep tegen de gekozen regering maakt een einde aan het tijdperk van de hervormingen.
1992	Na de benoeming van generaal Suchinda Krapra-yoon tot minister-president komt het in Bangkok tot massale onlusten die met veel bloedvergieten de kop worden ingedrukt. Na interventie van koning Bhumipol treedt Suchinda terug.
1993–1995	De nieuwe Thaise democratie begint wortel te schieten. Onder minister-president Chuan Leekpai neemt het parlement een democratische grondwet aan.
1997	De ooit zo bloeiende Thaise economie belandt aan de rand van de afgrond.
2002	De economie krabbelt overeind; de economische groei stabiliseert rond de 5%.
2003	Ten zuidoosten van de stad wordt Suvarnabhumi Airport aangelegd, Bangkoks tweede internationale vliegveld.
2004	De eerste 10 km van de nieuwe metro worden ingewijd.

Goed om te weten

Bloemenguirlandes zijn de offergaven voor de gelovigen

Begroeting

Behalve bij westers georiënteerde Thai is handenschudden niet gebruikelijk. Bij de traditionele Thaise groet, de *wai*, legt men beide handen als in een gebed voor het bovenlichaam tegen elkaar. Hoe hoger de positie van de begroete persoon, des te hoger worden de handen voor het lichaam of het hoofd gehouden.

Bij begroeting van mensen op hoge posities en vooral monniken reiken de vingertoppen tot het voorhoofd en buigt men even het hoofd. Mensen van dezelfde status of waarvan de status niet bekend is, begroet men met een *wai* op borst- of kinhoogte. Tegenover personen met een mindere sociale rang, zoals taxichauffeurs, obers of kinderen, is een *wai* niet op zijn plaats. Een knik met het hoofd of een glimlach volstaat in die gevallen.

Sawat dii kha (als een vrouw spreekt) of *sawat dii khrap* (als een man spreekt) luidt de passende groet in Bangkok.

Diefstal

Bangkok is niet onveiliger dan Amsterdam of Berlijn. Geweldsdelicten zoals roof of verkrachting komen zelden voor. Maar voorzichtigheid is wel geboden in het gedrang van markten bij bushaltes en op stations.

Dubbele prijzen

Voor een bezoek aan veel musea, pretparken, tempels en andere toeristische plaatsen gelden dubbele prijzen: de lagere zijn voor de Thai, de duidelijk veel hogere prijs wordt in rekening gebracht bij *farangs*. Het heeft weinig zin om over deze 'discriminatie' in discussie te gaan.

Farangs

Van *farangs*, de buitenlanders met de witte huid, ziet men weliswaar veel door de vingers, maar er zijn bepaalde gedragscodes waaraan ook toeristen zich beslist dienen te houden. Zo is het een erg zware belediging iemand 'zijn gezicht te laten verliezen', met andere woorden iemand in het bijzijn van anderen te bekritiseren of zwart te maken.

Nepgidsen

Wees op uw hoede als u door onbekenden op straat aangesproken wordt. De gouden tip, het koopje of de voordelige wisselkoers blijken later vaak op bedrog te berusten.

De Tourism Authority of Thailand waarschuwt om ook geen drankjes van onbekenden aan te nemen; dit kunnen zogenaamde *knock-out drinks* zijn waar verdovende middelen in opgelost zitten.

Voeten
Minachting van het hoofd- en voettaboe is een belediging. De voeten zijn het summum van al wat vies en minderwaardig is in Bangkok. Laat bij het zitten daarom nooit uw voetzolen wijzen naar mensen, boeddhabeelden of andere heilige voorwerpen. Daarentegen is het hoofd een heilig lichaamsdeel waarin geest en ziel wonen. Het hoofd van een ander mag nooit (ook niet door kinderen!) worden aangeraakt; bovendien mogen jongeren en mensen met een lage status niet boven het hoofd van degenen met een hogere status uitsteken.

Gezichtsverlies
Door alle gedrag dat de externe harmonie verstoort, verliest men zijn gezicht; men maakt zich belachelijk. Ongepast is ook hard praten, agressief gedrag, in het openbaar extreme gevoelens tonen en elkaar in het openbaar liefkozen.

Heilig geld
Wie moeilijkheden (tot gevangenisstraf toe) wil vermijden, moet nooit een wegwaaiend bankbiljet met zijn voet tegenhouden – de afbeelding van de koning siert elk baht-biljet en aanraking daarvan met de voet geldt als majesteitsschennis.

Kleding
Kleren maken de man: Thai beoordelen mensen vaak op hun uiterlijk, want hiermee kunnen ze de sociale rang inschatten. 'Rijke' toeristen die zich in vieze of kapotte kleren vertonen, stuiten vaak op onbegrip. Ook mensen die zich elders dan aan het strand of bij het zwembad al te schaars kleden, stellen de tolerantie van de Thai zwaar op de proef.

Lichaamstaal
Wie tijdens een gesprek zijn handen op zijn heupen zet of de armen voor de borst vouwt, geldt als arrogant. Het is onfatsoenlijk als u naar iemand wijst of met de vinger iemand wenkt. In plaats daarvan trekt u iemands aandacht door de arm omhoog te strekken en de vingers naar beneden te houden, waarbij de rug van de hand steeds omhoog wijst.

Creditcardfraude
Omdat fraude met creditcards aan de orde van de dag is, moet u uw creditcard bij gebruik nooit uit het oog verliezen; een extra afdruk is snel gemaakt.

Levensfilosofie
De Thai zijn echte levenskunstenaars. Omdat ze weten dat pijnlijk verlies, ziekte, ouderdom en de dood onvermijdelijk zijn, doen ze hun best om het leven zo aangenaam mogelijk in te richten. Hun toverformule om kleine en grotere probleempjes de baas te blijven, luidt dan ook: *sanuk, sabai, mai pen rai*.
Zo hoort u in Bangkok altijd en overal het woord *sanuk*, waarmee de Thai uitdrukt dat hij geniet. Onder echt *sanuk* verstaan ze lekker eten en drinken, etalages bekijken en winkelen, een bioscoopbezoekje en sport. *Sabai* betekent gemakkelijk of behaaglijk. Beide woorden samen drukken het toppunt van genot uit. En mocht het leven ooit eens *sanuk* noch *sabai* zijn, dan helpt het cliché *mai pen rai* – geeft niet. In deze uitdrukking komt de luchtige nonchalance van de Thai tot uitdrukking en zijn bereidheid om pech of ongeluk simpelweg te accepteren. Je kunt er toch niks meer aan doen! Waarom zou je dan klagen?

Reizen en prijzen

In vergelijking met Europa is Thailand een heel goedkoop reisland, hoewel het prijsniveau in de hoofdstad Bangkok aanmerkelijk hoger ligt dan in de provinciestadjes. Wie op terrasjes eet, met openbaar vervoer reist en in pensions of eenvoudige hotels overnacht, geeft € 30–40 per dag uit. Reizigers die hogere eisen stellen aan vervoer, onderdak, eten en drinken moeten rekenen op een budget van € 60–80 per dag.

Een kom soep kost in een eenvoudig restaurant € 0,50, een portie gebraden rijst minder dan € 1. In een middenklasserestaurant betaalt u voor een gerecht zo'n € 1,50–2. Een meergangenmenu in een luxer restaurant kost u inclusief drankjes niet meer dan zo'n € 15–20. Voor een kleine fles (0,375 l) Singhabier telt u in een eenvoudig restaurant € 1 en in een luxer restaurant € 2 neer.

In een eenvoudig hotelletje in de Thanon Khao San, de *backpacker*-wijk, hebt u een bescheiden kamer met ventilator en gezamenlijke badkamer al voor minder dan € 5. Wie wat meer comfort wenst, zoals airconditioning en een eigen douche/wc, moet voor een overnachting in een beter pension of hotel rekenen op € 10–25, in een middenklassehotel op € 25–50.

Reisperiode

Voor Europeanen is het weer in Bangkok tijdens het 'koele' seizoen van november tot februari het prettigst, als de thermometer 's middags boven de 30° C klimt, terwijl vanuit China vaak een aangenaam koele wind waait en de luchtvochtigheid bovendien relatief laag is. In de hete tijd van het jaar, van maart tot mei, puffen de inwoners van Bangkok overdag onder temperaturen tot 40°C. 's Nachts blijft het warm en daalt het kwik zelden onder de 25°C.

Een temperatuurdaling beleeft de stad in de regentijd van juni tot oktober. Ook tijdens de regenmaanden regent het zelden dagenlang. Het zijn meestal korte, heftige wolkbreuken die begeleid worden door onweer. Zelfs in augustus en september, de maanden met de meeste neerslag, daalt het gemiddeld aantal zonuren niet beneden de vijf per dag. De luchtvochtigheid is echter zo hoog, dat een kleine wandeling al tot een zweetbad leidt. Plotselinge overstromingen maken de verkeerschaos die de stad toch al teistert, alleen maar groter. Ritjes met tuk-tuks kunnen bij regen heel gevaarlijk worden.

Souvenirs

Bangkok is een paradijs voor winkelliefhebbers. Erg goedkoop is er dames- en herenkleding, uit het rek of op maat gemaakt. Hoog aangeschreven is textiel van Thaise zijde. Handgeweven zijde is niet helemaal glad, maar heeft fijne oneffenheden die er een structuur aan geven. Bij de aankoop van stoffen moet u er op letten dat ze niet met kunstvezels zijn gemengd. U kunt het beste uw zijden artikelen kopen in gerenommeerde speciaalzaken (zie blz. 63).

Gewilde souvenirs zijn tevens de handweefsels, vaak met veel inspanning en volgens eeuwenoude traditie gemaakt door de Noord-Thaise bergvolken. Vooral de handgeweven stoffen van de *Hmong* en *Akha* onderscheiden zich door hun opvallende kleurencombinaties en een krachtig weefsel. Mooie aandenkens aan uw vakantie zijn de fijn geborduurde kleren, kussenovertrekken, schoudertassen en wandversieringen.

Andere typische, maar niet echt goedkope souvenirs zijn edel- en halfedelstenen. Er zijn net zoveel juweliers als goudhandelaren. Gouden sieraden worden in de regel naar gewicht en zuiverheid berekend, zelden naar arbeidsintensiteit en kwaliteit. Een leek moet zich niet laten verleiden overhaast edelstenen of gouden sieraden te kopen. U moet met name erg voorzichtig zijn, als u een erg aantrekkelijk bod wordt gedaan.
Heel populair zijn van natuurlijke materialen gemaakte kruiken, vazen en borden van melkkleurig groen *Sawankhalok*- of *Celadon*-keramiek, die door de gesprongen vorm van het glazuur een antiek uiterlijk krijgen. De in een tijdrovend proces geproduceerde, prachtig gekleurde artefacten van *Benjarong*-keramiek zijn overigens wel erg duur.
Decoratieve souvenirs zijn de vaak voortreffelijke, naar originelen vervaardigde imitaties van antieke godenbeelden, demonenfiguren en mythische dierengestaltes. Deze beelden zijn te vinden in alle maten in messing, brons, steen, marmer en hout.
Bij het kopen van echt antiek moet u altijd op uw hoede zijn, omdat er ondertussen vele vervalsingen bestaan. Deze imitaties zijn zo goed nagemaakt dat ze hooguit door experts herkend worden. Voor voorwerpen die ouder zijn dan 50 jaar hebt u een exportvergunning van de Thaise overheid nodig. Overigens is officieel het uitvoeren van boeddhabeeldjes door niet-Boeddhisten verboden.
Gewilde souvenirs zijn bovendien het zilver van de bergvolken, zwart- en goudgelakte houten vaten met inlegwerk, papieren parasols en waaiers van bamboe. Ook handgeschept papier uit de schors van de moerbeiboom behoort tot de specialiteiten van het Thaise handwerk. Van het vezelachtige papier maakt men briefpapier en enveloppen, notitieboekjes, fotoalbums, en allerlei andere voorwerpen.
Houdt u zich verre van het kopen van souvenirs die van beschermde diersoorten stammen, zoals producten van de schildpad, reptielenleer, ivoor en koraal. Bij geval van twijfel is het ook ten zeerste af te raden om deze producten aan te schaffen. Invoer hiervan in Europa is hoe dan ook streng verboden.

Tempeletiquette

Bij het bezoeken van een boeddhistische tempel dient u zich gepast te kleden. Zo wordt aan vrouwen met te veel decolleté en blote knieën of aan mannen met korte broek, t-shirt en sandalen de toegang ontzegd tot de Wat Phra Kaeo en andere belangrijke tempels. Voor het betreden van het gebedshuis en andere sacrale gebouwen moet u uw schoenen uittrekken. Omdat boeddhistische monniken en nonnen geen vrouwen mogen aanraken, moeten offergaven eerst aan een mannelijke begeleider worden overhandigd die ze vervolgens doorgeeft aan de desbetreffende monnik.

Fooien

Doe bij het geven van een fooi niet te bescheiden, want veel mensen in dienstverlenende beroepen zijn voor een groot deel van die extraatjes afhankelijk. Kelners, personeel in hotels en kruiers stopt men voor hun diensten ongeveer 10 tot 20 baht toe. Taxichauffeurs mogen het wisselgeld meestal houden. Een kleine fooi is een belediging, want u zegt daarmee in feite dat u ontevreden over het gebodene bent.

Eigenlijk is Thai geen ingewikkelde taal, want de grammatica is uiterst eenvoudig. Er bestaan geen vervoegingen, werkwoorduitgangen of -tijden. Ook lidwoorden kent men niet. Toch is de taal voor de meeste bezoekers een boek met zeven zegels, omdat het een met het Chinees verwante, hoofdzakelijk eenlettergrepige toontaal is met vijf toonniveaus die de betekenis van een woord ingrijpend kunnen veranderen. Alleen wie de juiste toon treft, voorkomt hilariteit of misverstanden bij de aangesprokene. Zo betekent het woord *maa*, afhankelijk van de toonhoogte, 'komen', 'hond' of 'paard'. Vraagt u iemand bij u te komen, dan kunt u die persoon bij een verkeerde toonhoogte ongewild als hond beledigen. Zo'n fout wordt *farangs* trouwens meestal niet kwalijk genomen. In tegendeel – bezoekers die hun best doen een paar zinnen in het Thais te leren, openen daarmee de harten en deuren van de lokale bevolking.
Belangrijk is het gebruik van het beleefdheidspartikel *kha* (als een vrouw spreekt) en *khrap* of *khap* (als een man spreekt) aan het einde van de zin. In Bangkok – maar niet daarbuiten – zult u zich prima in het Engels kunnen redden. Als u echter met het openbaar vervoer reist, dan kan het verstandig zijn om voor vertrek de naam van de bestemming in het Thaise schrift te laten noteren.

Begroeting en hoffelijkheid

goedemorgen goedendag goedenavond tot ziens	sawat-dee kha (als een vrouw spreekt), sawat dee khrap (als een man spreekt)
tot ziens	lääo phop gan mai na kha/khrap
hoe gaat het met u?	khun sabaai-dee mai kha/khrap?
goed, dankuwel	sabaai-dee khoop-khun kha/khrap
en met u?	lääo khun la?

Reis en verkeer

ik wil graag naar ... gaan	tschan/phom jaak-dscha bai...
brengt u mij alstublieft naar ...	tschuai paa tschan/phom bai ...
wie, waarheen, wanneer?	tii nai, nai, müarai?
rechtdoor	drong bai
rechts afslaan	liao khwaa
links afslaan	liao sai
stopt u hier!	yut drong nii!
bus, trein, boot	rot mee, rot fai, rüa
busstation	sataanii rot mee
treinstation	sataanii rot fai
waar is een toilet?	hoong naam juu tiinai?
wanneer is het ... geopend?	... pööt pratu kii moong?
politie, ziekenhuis, arts	tamruat, roong pahjahban, moo

Accommodatie en restaurant

waar is een goed hotel?	roong rääm dee juu tiinai?
hebt u vrije kamers?	mii hoong waang mai?
mag ik de kamer eerst zien?	khoo duu hoong gon daai mai?
hebt nog andere kamers?	mii hoong iik mai?
waar is een goed restaurant?	raan aahaan dee juu tiinai?
(niet) pittig	(mai) phet

ik wil betalen	tschek bin!

Winkelen

heeft u ...?	mii ... mai?
hoe duur is dat?	an-nii thaorai kha/khrap?
dat is te duur.	an-nii phääng bai.
kan de prijs misschien ook naar beneden?	lot rakaa nooi daai mai kha/khrap?
heeft u nog iets anders?	mii iik mai?

Getallen

1	nüng	6	hok
2	soong	7	tjet
3	saam	8	bäät
4	sii	9	kao
5	haa	10	sip

11	sip-et	16	sip-hok
12	sip-soong	17	sip-tjet
13	sip-saam	18	sip-bäät
14	sip-sii	19	sip-kao
15	sip-haa	20	jii-sip

30	saam-sip
100	(nüng) rooi
200	soong rooi
300	saam rooi
1000	(nüng) phan
2000	soong phan
3000	saam phan
10000	(nüng) müün
100000	(nüng) sään
1000000	(nüng) laan
2543	soong phan haa rooi sii-sip saam

De belangrijkste zinnen

Ik Tschan (bij vrouwen), phom (bij mannen)
Ja / nee Tschai / mai tschai
Meneer, mevrouw, u, jij Khun
Wat is dat? An-nii arai kha/khrap?
Hoe heet u? Khun tschü arai kha/khrap?
Ik heet ... (Tschan/Phom) tschü ...
Waar komt u vandaan? Khun maa dschaak nai kha/khrap?
Waar gaat u naar toe? Khun dscha bai nai?
Mag men hier fotograferen / roken? Taai-ruup / suup burie daai mai kha/khrap?
Neemt u mij niet kwalijk. Khoo-thoot kha/khrap.
Alstublieft, geen probleem. Mai pen rai kha/khrap.
Dank u wel. Khoop-khun kha/khrap
Helpt u mij! Help! Tschuai nooi si kha/khrap! tschuai duai!
Wilt u dat woord opschrijven? Garunaa kiian kam nii hai nooi.
Let op! Voorzichtig! Rawaang!
Begrijpt u? Khun khao-dschai mai?
Ik begrijp het niet. (Tschan/Phom) mai khao-dschai.
Ik heb het begrepen. (Tschan/Phom) khao-dschai lääo.
Wie bedoelt u? Arai na kha/khrap?
Spreekt u Engels? (Khun) phuut phasaa angkrit mai?
Ik spreek geen Thai. Tschan/phom phuut thai mai daai.
Ik spreek een beetje Thai. Tschan/phom phuut thai daai nitnoi.

Inlichtingen

... in Nederland

Tourism Authority of Thailand
Postbus 56948
1040 AX Amsterdam
tel. 020 638 66 67
info@thaisverkeersbureau.nl

... in België

Tourism Authority of Thailand
Lakenweversstraat 40
1050 Brussel
tel. 02 504 97 03
www.toerismethailand.be

Informatie ter plekke

Bangkok Tourist Center
Phra Pin Klao Bridge
(bij het Nationaal Museum)
Rattanakosin
dag. 9–19 uur
tel. 225 76 12–4 (uitleg tel. zie blz. 23),
fax 225 76 16, center@tat.or.th
Bangkok International Airport
terminal 1, aankomsthal
dag. 8–24 uur
tel. 523 89 72 en 523 89 73
Bangkok International Airport
terminal 2, aankomsthal
dag. 8–24 uur, tel. 535 26 69

Informatiekiosken

Thanon Sukhumvit
(Soi 4 en tussen Soi 11 en 13)
hoek Thanon Silom / Thanon Rama IV
Thanon Khao San
Siam Square, (Soi 9)
Chatuchak Weekend Market

Tourist Service Line

tel. 16 72 (gratis)
8–24 uur

Reisdocumenten

Nederlanders die naar Thailand op vakantie gaan, hoeven geen visum aan te vragen indien ze maximaal dertig dagen in het land willen blijven. Bij aankomst op Don Muang Airport wordt een verblijfsvergunning van dertig dagen verstrekt. Nederlanders moeten in het bezit zijn van een geldig paspoort dat tenminste zes maanden na verblijf in Thailand nog geldig moet zijn. Soms moet u uw retourticket of een ticket naar een andere bestemming kunnen tonen. Meereizende kinderen moeten een eigen paspoort hebben of in het paspoort van een ouder staan.
Nederlandse bezoekers die langer dan dertig dagen in Thailand willen verblijven, moeten hiervoor een visum aanvragen. Dit visum kunt u aanvragen bij het Thaise consulaat of de afdeling visa van de Thaise Ambassade. Omdat een verlenging van de verblijfsvergunning in Bangkok erg omslachtig is, kunt u het beste een toeristenvisum tot zestig dagen of een Non-Immigrant-visum tot negentig dagen bij de ambassade van Thailand in uw eigen land ophalen.
Belastingvrij is, naast voorwerpen voor persoonlijk gebruik, de invoer van 1 liter sterke drank en tweehonderd sigaretten. Bij vertrek betaalt u voor luchthavenbelasting 500 baht.

Nederland

Thaise ambassade
Laan C. v. Cattenburg 123
2585 EZ Den Haag
tel. 070 345 97 03 en 070 345 20 88
www.thaiembassy.org

Thaise ambassade afdeling visa
Buitenrustweg 1
2517 KD Den Haag

2517 KD Den Haag
tel. 070 345 20 88 of 070 360 03 33
fax 070 360 24 06
ma.-vr. 9.30–12, 14–16 uur

Thais consulaat
De Lairessestraat 127
1075 HJ Amsterdam
tel. 020 465 15 32
fax 020 462 40 80
ma.-vr. 10–13 uur

Reizen naar en vanaf Bangkok

...met het vliegtuig

De vliegtijd van Midden-Europa naar Bangkok bedraagt ongeveer elf uur. Vanaf Amsterdam en Brussel vliegt u met KLM, Thai Airways, Singapore Airlines, Garuda, Air France of British Airways direct op Bangkok. Andere internationale vliegtuigmaatschappijen zoals Emirates maken een tussenlanding in de golfstaten.

De tarieven schommelen sterk per seizoen. Het duurst zijn de tickets rond de kerst. Bij Thai Airways, dat bekendstaat om de goede service, betaalt u voor een retour Amsterdam – Bangkok tussen € 700–1000. Let ook op jongeren- en studententarieven. Wegens de grote vraag naar tickets in het hoogseizoen, van november tot februari, moet u vroeg boeken. Informatie op internet: www.thaiairways.com

Arrangementen naar Bangkok bieden, ook in combinatie met rondreizen en/of aansluitende strandvakantie, alle touroperators aan. Afhankelijk van het seizoen kosten twee weken Bangkok met strandvakantie op Phuket of een ander vakantie-eiland inclusief vlucht vanaf € 1000. Last minute-aanbiedingen zijn er al vanaf € 900.

Bangkoks internationale luchthaven Don Muang ligt 25 km ten noorden van de stad (informatie aankomst- en vertrektijden: tel. 535 11 11 en 535 12 54 voor internationale vluchten, tel. 535 20 81 of 535 20 82 voor binnenlandse vluchten). In beide aankomsthallen vindt u wisselkantoren, informatiebalies van de Thaise VVV en balies voor (dure) hotelboekingen. Tussen de terminals van de internationale luchthaven en het nationale vliegveld 500 m richting de stad rijden gratis bussen. Dagelijks pendelt om het kwartier van 5–24 uur op verschillende trajecten een Airportbus met airco tussen de luchthaven en de stad (reistijd van 30 min. tot twee uur in de spits). Bus AB 1 rijdt op de Thanon Ratchadamri via Pratunam en Lumpini Park naar de Thanon Silom, bus AB 2 op de Thanon Phayathai en de Thanon Petchaburi naar Banglamphoo en verder naar Sanam Luang, bus AB 3 op de Expressway en de Thanon Sukhumvit tot de Eastern Bus Terminal (Ekamai), bus AB 4 op de Expressway en de Thanon Ploenchit naar Siam Square en verder naar het centraal station Hua Lamphong. Kaartjes: 100 baht. Informatie: tel. 995 12 52–4. Goedkoper zijn de stadsbussen die vanaf Wiphawadirangsit Highway bij de luchthaven vertrekken, maar deze zijn vaak stampvol.

Comfortabel rijdt u met de Airport Taxi Service of Airport Limousine Service die u aan de balie in de aankomsthallen van terminal 1 en terminal 2 kunt boeken, u betaalt 500 resp. 650 baht. De helft goedkoper is de ongeveer een uur durende rit in de Public Taxis tijdens de spits (ma.-vr. 8–10 en 16–20 uur) die

u eveneens aan de balies bij de uitgang van de terminals bestelt.
Tijdens *rush hour* brengt de trein u het snelst in de stad; vertrek vanaf station Don Muang dat u tegenover het vliegveld via een voetgangersbrug bereikt. Hebt u haast en veel geld, dan kunt u altijd de Airport Helicopter Service nemen.

...met de bus

Bussen met en zonder airco rijden vanaf Bangkok naar alle steden van het land. In Bangkok zijn drie grote busstations voor de lange afstanden: Allereerst de Northern Bus Terminal (Morchit, Thanon Paholyothin, tel. 936 28 41–8) voor bussen naar het noorden en noordoosten, zoals Chiang Mai, Nakhon Ratchasima, Sukhothai en Udon Thani. Daarnaast de Southern Bus Terminal (Saitai Mai, Thanon Phra Pin Klao, tel. 435 11 99 en 435 12 00) voor bussen naar het zuiden en zuidwesten, zoals Hua Hin, Phuket en Surat Thani. En tot slot de Eastern Bus Terminal (Ekamai, Thanon Sukhumvit, tel. 391 80 97) voor bussen naar het oosten, zoals Chantaburi en Pattaya.

...met de trein

Vanaf het centraal station Hua Lamphong (Thanon Rama IV, Samphan Thawong, tel. 223 70 10, 223 70 20) lopen vier spoorlijnen naar het noorden, noordoosten, oosten en zuiden. Slaapcoupés met airco kunt u negentig dagen voor vertrek reserveren en moet u 48 uur voor vertrek bevestigen. Reserveringen en voorverkoop van treinkaartjes bij het Advance Booking Office (ma.-vr. 8.30–18, za.,zo. 8.30–12 uur, tel. 223 37 62). Treinen naar het noordwesten vertrekken vanaf Bangkok Noi / Thonburi Railway Station (Thanon Nikhom Bhanpak Rotfai, Bangkok Noi, tel. 573 13 94). Reizigers die Thailand per trein willen leren kennen, kunnen gebruik maken van de 'Visit Thailand Rail Pass'. Met deze pas kunt u twintig dagen onbeperkt door heel Thailand reizen. Informatie over het reizen per trein of over de 'Visit Thailand Rail Pass' kunt u vinden op de website: www.srt.or.th

Geld

Nationale valuta is de Thaise baht (B).
Wisselkoers: € 1 = B 45, US$ 1 = B 40
Bankbiljetten: B 10, 20, 50, 100, 500 en 1000
Munten: B 1, 5 en 10
Veel hotels, restaurants en winkels accepteren internationaal erkende creditcards (vooral Visa en Master Card). Met creditcards of EC/Maestro Card plus pincode kunt u overal geld pinnen (Automatic Teller Machines, ATM).
Bij het innen van reischeques in euro's of dollars moet u uw paspoort tonen.

Veiligheid

Zie ook 'Goed om te weten' (diefstal, nepgidsen, creditcardfraude), zie blz. 14.

Noodgevallen

Politie: tel. 191
Toeristenpolitie: tel. 11 55
Brandweer: tel. 199
Ambulance: tel. 252 21 71–5

Ziekenhuizen / artsen
Chulalongkorn University Hospital
Thanon Rama IV, Bangrak
tel. 252 81 81–9
Privé-kliniek:
Bumrungrad Hospital
33 Soi 3, Thanon Sukhumvit
Sukhumvit
tel. 667 10 00
(artsen en verplegend personeel spreken Engels)
Duitstalige arts
Dr. Lopachok, Policlinic Münster
6/23 Soi 3, Thanon Sukhumvit
Sukhumvit, tel. 253 58 57

Diplomatieke vertegenwoordiging

Nederlandse ambassade (K 5)
Wireless Road 106, Lumpini
Bangkok 10330
tel. 254 77 01 of 254 77 05
fax 254 55 79
www.netherlandsembassy.in.th

Belgische ambassade (H 7)
South Sathorn Road 175
Tungmahamek, Bangkok 10120
tel. 679 54 54
fax 679 54 67
www.diplomatie.be/bangkoknl

Telefoneren

De meeste telefooncellen zijn geschikt voor munten en telefoonkaarten, soms ook voor creditcards. Telefoonkaarten koopt u in de supermarkt of in tijdschriftenwinkels. Uw eigen mobiel met *roaming-service* kan in Thailand ook gebruikt worden. Informeer bij uw telefoonmaatschappij naar de tarieven. Voor buitenlandse gesprekken kiest u 001 + landnummer (Nederland 31, België 32) + netnummer zonder 0 + abonneenummer. Netnummer van Bangkok 02; vanuit het buitenland naar Bangkok: 0066–2.
Informatie: tel. 100 (internationaal), tel. 101 (binnenland). Veel hotels en cafés hebben internetaansluiting.
Notering: In deze gids vindt u soms telefoonnummers zoals 936 28 41–6. 1–6 betekent dat u in plaats van de 1 ook een 2, 3, 4, 5 of 6 kunt draaien.

Openingstijden

Banken: ma.-vr. 8.30–15.30 uur
Wisselkantoren: op de internationale luchthaven, aan de Silom en Thanon Sukhumvit tot 's avonds laat en in het weekeinde
Postkantoren: ma.-vr. 8.30–16.30, za. 9–12 uur
Winkels: meestal dag. vanaf 8/9 uur tot 's avonds laat
Supermarkten, warenhuizen en winkelcentra: meestal dag. 10–21 uur
Overheidsinstanties: ma.-vr. 8.30–12 en 13–16.30 uur

Gezondheid

Inentingen zijn voor reizigers uit infectievrije gebieden niet verplicht. Na de lange vlucht uit Europa verdient een dag rust aanbeveling om de jetlag en de klimaatverandering aan te kunnen. De Thai hechten grote waarde aan hygiëne, waardoor men zelfs op de markt en op straat zonder bezwaar kan eten en drinken.

Omdat er tussen Thailand en Nederland of België geen sociaal-verzekeringsverdrag bestaat, is het raadzaam een internationale reisverzekering af te sluiten. Raadpleeg uw verzekering.

Gehandicapten

Net als veel andere Aziatische steden is ook Bangkok niet ingesteld op voetgangers en al helemaal niet op mensen met een handicap. Geparkeerde auto's, gaarkeukens en handelaren versperren de voetpaden die toch al diepe gaten kennen, motoren omzeilen de verkeersdrukte via het trottoir: Bangkok is een nachtmerrie voor rolstoelgebruikers. Oversteken kan in geen geval zonder hulp. Bovendien beschikken de meeste hotels en restaurants niet over faciliteiten voor rolstoelen. Over het openbaar vervoer hebben we het maar niet.

Onderweg in Bangkok

...met taxi of tuk-tuk

Officieel toegelaten **taxi's** met taximeter en airco hebben een geel nummerbord en op het dak een verlicht bord *Taxi Meter*. Ze wachten voor grote hotels en in de buurt van toeristische attracties, maar u kunt ze op straat ook aanhouden. Behalve bij wolkbreuken en tijdens de spits is het totaal geen probleem een vrije taxi te vinden. Basisbedrag: 35 baht voor 2 km resp. 2 min., de prijs van een taxirit hangt verder af van de afstand en de reistijd. Voor een rit van 5 km moet u rekenen op 50 à 70 baht. Vermijdt u de taxi's zonder licentie die vaak bij busstations en markten op passagiers wachten. Het is niet voor niets dat de lokale bevolking deze *täksi phii* ('spooktaxi's') noemt, want de chauffeurs zijn meestal oplichters die veel te hoge prijzen vragen – soms deinzen ze er niet voor terug om dit onder bedreiging te doen.

Tuk-tuk zijn de voertuigen op drie wielen met overdekte bank die met veel lawaai en stinkend hun weg zoeken door het chaotische verkeer. De aan alle kanten open bromfietsriksja's zijn weliswaar origineel en goedkoop, maar vanwege de luchtvervuiling alleen voor korte afstanden aan te raden. Bovendien zijn tuk-tuk-ritjes zenuwslopend, want de chauffeurs jagen vooral 's nachts, als de straten leeg en agenten niet te zien zijn, alsof ze records willen breken. Er schijnen Bangkok-toeristen te bestaan die een nachtelijke tuk-tuk-rit als een van de 'laatste grote avonturen van Azië' bestempelen. Over de prijs moet u vooraf onderhandelen. Bij het bieden met de chauffeurs die meestal geen Engels spreken, kunnen de vingers de woorden vervangen – een opgestoken vinger betekent 10 baht.

Populair bij de plaatselijke bevolking zijn **bromfietstaxi's** die zelfs de kleinste gaatjes in het verkeer benutten. Valhelmen voor passagiers zijn er meestal niet.

...met het openbaar vervoer

Bussen hebben wel bushaltes, maar absoluut geen vaste vertrektijden. Op de voorruit van de bus vindt u de eindbestemming, maar omdat deze in het Thaise schrift is, hebt u er weinig aan. U kunt zich uitsluitend oriënteren op de Arabische cijfers van de buslijn. Een stadsplattegrond met alle routes

en busnummers koopt u voor 60 baht in de meeste supermarkten en drogisterijen.
De prijs voor de groene en rode bussen zonder airco (vanaf 3,50 baht) en voor de blauwe en beige bussen met airco (vanaf 10 baht) hangt af van de afstand. Globaal 25 baht kosten de comfortabele paarse Mercedes-minibussen die alleen stoppen als er nog zitplaatsen vrij zijn. Een voor toeristen interessante buslijn is de blauwe AC-bus nr. 8, die van de Thanon Sukhumvit naar de Sanam Luang rijdt. Een '*Lady Bus*' uitsluitend voor vrouwen rijdt op de routes 2, 11, 16, 22, 29, 34, 36, 101, 126 en 136. Informatie: Bangkok Mass Transit Authority (BMTA), tel. 184 en 246 09 73.
Het 23,5 km lange Bangkok Transit System (BTS) van het nieuwe **viaductspoor (Sky Train)** bestaat uit de Sukhumvit Line tussen On Nut in het oosten en Morchit in het noorden, de Silom Line tussen National Stadium in het westen en Saphan Taksin in het zuiden. Het centrale overstapstation is Siam Square. De Sky Train (Thais *rot fai fai faa loi*, 'de zwevende elektrische trein') rijdt dag. 6–24 uur om de vijf minuten. Kaartjes kosten afhankelijk van de zone 10 à 40 baht en zijn te koop bij de automaten op de perrons. Een aanrader voor bezoekers is de '*One Day Pass*' (100 baht) of de '*Three Day Tourist Pass*' (280 baht) waarmee u een dag respectievelijk drie dagen onbeperkt kunt reizen. Deze pas is te koop aan de balies op de perrons. Informatie: Bangkok Transit System (BTS), tel. 617 73 40.
Halverwege 2004 zijn de eerste 10 km van de nieuwe **metro** in gebruik genomen. De metrolijn begint bij het centraal station Hua Lamphong aan de Thanon Rama IV, loopt in zuidoostelijke richting via het Lumpini Park en volgt de Thanon Ratchadaphisek naar het noorden. Eindstation is dicht bij de Northern Bus Terminal (Morchit). De tarieven zijn vergelijkbaar met die van de Sky Train.

...met de boot

Veilig, comfortabel en tegelijk een hoogtepunt van sightseeing zijn de expresboten die overdag op de Mae Nam Chao Phraya varen (zie blz. 87).
Veel toeristen weten dat op de waterwegen in Thonburi ten westen van de Mae Nam Chao Phraya passagiersboten varen. Slechts een enkeling weet dat men ook aan de Bangkok-kant van de rivier met de behendige bootjes langs alle files kan puffen. Vanaf de aanlegplaats Phanfa-Pier beneden bij de Phu Khao Thong (Golden Mount) en dicht bij het kruispunt Thanon Ratchadamnoen Klang en Thanon Ratchadamnoen Nok kunt u op de Khlong Mahanak die later overgaat in de Khlong San Sap, tot aan de oostelijke voorsteden varen. Overige aanlegplaatsen: Thanon Phayathai, Thanon Ratchadamri, Thanon Witthayu en Soi 3, Thanon Sukhumvit en Soi 23, Thanon Sukhumvit.

Stadsrondritten

Veel organisatoren van sightseeingtours bieden ook cruises aan op de Mae Nam Chao Phraya, vertrek meestal bij het River City Boat Tour Center (tel. 237 00 77 en 237 00 78, fax 237 76 00, www.rivercity.co.th) tegenover het Royal Orchid Sheraton Hotel. Reserveren kan ook in veel hotels en bij reisbureaus.

Te gast in

In een cafeetje met uitzicht op de vele tempels zitten genieten van de zonsondergang op de Mae Nam Chao Phraya, de duizend schotels van de gaarkeuken proeven, designmode tegen afbraakprijzen kopen? Deze gids over Bangkok geeft nuttige tips en de beste adressen, zodat uw verblijf in de stad een belevenis wordt. De grote uitneembare kaart helpt u uw weg in de stad te vinden, want

Bangkok

de cijfers en letters bij alle adressen besparen u een hoop zoekwerk. Bovendien zijn de belangrijkste bezienswaardigheden op die kaart extra duidelijk vermeld. Wie Bangkok eens vanuit een wat minder gebruikelijk perspectief wil ervaren en hiernaast de vele facetten van deze stad wil leren kennen, kan zich laten leiden door de Extra-routes...

Overnachten

Onspannen rond het zwembad van het Oriental

Hotels en pensions

Bangkok biedt overnachtingsmogelijkheden voor iedere beurs, van een matras in een Spartaanse slaapzaal van een low-budgethotel voor 100 baht tot de koninklijke suite in een vijfsterrenhotel, die zomaar 100.000 baht kan kosten.

De tophotels hebben vaak meerdere exclusieve restaurants, bars, cocktaillounges, kleine winkeltjes en boetieken, uitgebreide ontspanningsafdelingen, fitnesscentra, zwembaden, reserveringsbureaus van luchtvaartmaatschappijen en reisbureaus. De hotels in de luxere categorie laten met betrekking tot de voorzieningen niets te wensen over. Maar ook eenvoudige hotels en pensions hebben doorgaans keurige kamers met airco, eigen bad/wc, telefoon en meestal televisie. Sommige kleine onderkomens doen in kwaliteit niet onder voor de sterrenhotels. Bovendien bezitten ze een aangename sfeer die u in de grote toeristenhotels niet zult aantreffen.

Prijzen en kortingen

De in dit boek aangegeven prijzen gelden voor een overnachting in een tweepersoons kamer (2 pk) zonder ontbijt in het hoogseizoen van november tot februari. Eenpersoons kamers (1 pk) worden in Bangkok nauwelijks aangeboden. Individuele reizigers betalen voor een tweepersoons kamer echter meestal een lager tarief. In de betere hotels komt boven op de prijs voor de overnachting nog tien procent servicegeld en elf procent toeristenbelasting. Rond Kerstmis en Nieuwjaar en in het verdere hoogseizoen gelden extra toeslagen. Hotels van alle categorieën zijn in de weekenden en in het laagseizoen, van juni tot oktober, wel tot het geven van kortingen te verleiden. Het kan geen kwaad om naar de *best rate* en de *stand by rate* te vragen. Veel hotels geven zakenlieden kortingen tot wel 30 procent.

Bij reserveren via internet, wat direct meestal alleen kan bij de luxere hotels, betaalt u duidelijk minder dan de officiële prijs. Middenklassehotels kunnen evenwel via bepaalde internetreisbureaus gereserveerd worden tegen een tarief dat tot 75 procent onder de zogenaamde *rack rate* ligt (zie 'Bangkok op internet', blz. 5). Hotels van de luxere categorie worden vaak in de catalogi van touroperators tegen verrassend lage prijzen aangeboden.

Het is verstandig uw reserveringen tijdig schriftelijk (via fax of e-mail) te bevestigen en daar een bevestiging van te vragen. Dat geldt vooral voor een verblijf in het hoogseizoen (november tot februari). Bij reserveringen willen de betere hotels in de regel voor de zekerheid het nummer van uw creditcard hebben.

Via een reisbureau of op eigen gelegenheid?

Veel toeristen boeken hun verblijf in Bangkok vooraf, wat aan te bevelen is als u in een tophotel wilt overnachten. Reist u op eigen gelegenheid, dan bent u daar duidelijk meer geld kwijt. Reizen via een reisbureau bestaan in de regel uit een uitgebreid programma met bezichtigingen en cultuur. Aanbiedingen van bekende touroperators vindt u op internet.

De juiste locatie

De mooiste luxehotels zijn geconcentreerd aan de oevers van de Mae Nam Chao Phraya. Onderkomens van alle niveaus, met uitzondering van de goedkoopste *guesthouses*, vindt u in de eindeloos lange Thanon Sukhumvit, maar dat is wel ver verwijderd van het historische centrum en het koningspaleis aan de Sanam Luang.

Voor rugzaktoeristen en iedereen die zijn geld aan iets anders dan een dure hotelkamer wil uitgeven, is de Thanon Khao San, het bekendste *traveller*-centrum met goedkope pensionnetjes dicht bij de oude stad, de juiste locatie.

Naast prijs en faciliteiten is de locatie van een hotel een belangrijk aspect, en dat niet alleen voor zakenlieden met een volle agenda. Het hotel op de verkeerde plek kan in een uitgestrekte stad als Bangkok met zijn chronische verkeersdrukte veel tijd kosten en ergernis opleveren.

Houdt u van uitgebreid winkelen, lekker eten en een veelzijdig nachtleven, dan moet u een hotel aan de Thanon Sukhumvit en Thanon Silom zoeken. Wie in eerste instantie geïnteresseerd is in de culturele bezienswaardigheden van de stad, moet onderdak zoeken in de oude binnenstad of langs de Mae Nam Chao Phraya, want vanuit alle hotels bij de rivier zijn het historische centrum en ook Chinatown gemakkelijk te bereiken met expresboten.

Goedkoop

Atlanta Hotel (K 6)

78 Soi 2, Thanon Sukhumvit
Sukhumvit
tel. 252 60 69
fax 656 81 23
www.theatlantahotel.bizland.com
Sky Train: station Nana, dan taxi of tuk-tuk
2 pk vanaf 600 baht

In dit in 1952 geopende hotel hangt nog de sfeer van vroeger tijden. Dit hotel is opgenomen in het 'Guinness Book of Records': de eigenaar en oprichter van het hotel, de hoogbejaarde Duitser Dr. Max Henn, is 's werelds oudste, nog actieve *generalmanager* van een hotel. De eenvoudige, doch ruime kamers beschikken over airco of minimaal een ventilator aan het plafond. In de tropische tuin liggen een zwembad en een

Prijsniveau

Goedkoop
2 pk € 10–25, 450–1125 baht
Middenklasse
2 pk € 25–50, 1125–2250 baht
Comfort
2 pk € 50–125, 2250–5625 baht
Luxe
2 pk vanaf € 125, 5625 baht
Alle prijzen hebben betrekking op het seizoen 2003/2004, alle prijsopgaven zijn zonder ontbijt.

Graag met zwembad

Wie wil bijkomen van de jetlag, de eerste dagen wil acclimatiseren, of na sightseeing en shoppen wil ontspannen, kan een hotelzwembad wel waarderen. In Bangkok hebben zelfs goedkope hotels vaak een door tropische vegetatie omgeven zwembad waar het heerlijk toeven is.

pierebadje. 's Avonds weerklinken in het met veel hout uitgeruste restaurant de geluiden van de bebop, swing, blues en big bands. De leiding van het hotel wijst er nadrukkelijk op dat sekstoeristen in het Atlanta Hotel niet gewenst zijn.

Federal Hotel (L 5)

27 Soi 11, Thanon Sukhumvit
Sukhumvit
tel. 253 01 75 of 253 01 76
fax 253 53 32
federalhotel@hotmail.com
Sky Train: station Nana, dan taxi of tuk-tuk
2 pk vanaf 750 baht
'Your home away from home...' – de reclamekreet van dit enigszins ouderwetse, maar goed verzorgde onderkomen is niet overdreven, want het heeft precies dat wat velen in den vreemde zoeken: het personeel is vriendelijk en voorkomend, de kamers met airco zijn gezellig, het zwembad met veel tropisch groen rondom oogt als een oase, in het restaurant serveert men smakelijke Thai-maaltijden en het eigen reisbureau Pacific Horizon Travel organiseert rondritten door de stad en uitstapjes. Dit is een geschikt adres voor gezinnen die het grote Ambassador, aan de overkant van de straat, te onpersoonlijk vinden. De kamers 118 tot 130 op de begane grond liggen vlakbij het zwembad en dat is erg handig voor de kinderen!

Malaysia Hotel (K 7/8)

54 Soi Ngam Duphli, Thanon Rama IV
Bangrak
tel. 679 71 27–36
fax 287 14 57
malaysia@ksc15.th.com
AC-bus: 7, 141 tot Thanon Rama IV, dan tuk-tuk of motortaxi
2 pk vanaf 650 baht
Omdat Bangkok naast Hongkong de populairste *'rest and recreation'*-stad was voor de Amerikaanse soldaten in Vietnam, werd het Malaysia een trefpunt voor *GI's*. Na afloop van de oorlog was het ietwat vervallen hotel een ontmoetingsplaats voor rugzaktoeristen en globetrotters, en de narcoticapolitie viel er regelmatig binnen. Na een grondige opknapbeurt heeft het Malaysia zijn smoezelige imago afgeschud. De ruime DeLuxe Rooms met airco zijn aan te raden. Met koffieshop en zwembad.

Phra Arthit Mansion (D 3)

22 Thanon Phra Arthit
Banglamphoo
tel. 280 07 44
fax 280 07 42
praarthit@anet.net.th
expresboot tot Phra Arthit Ferry Pier
2 pk vanaf 850 baht
Klein hotel op goede locatie – dit is het ideale adres voor bezoekers van Bangkok met een krappe beurs, die toch dicht bij de oude stad en de Mae Nam Chao Phraya willen verblijven. De ruime en gezellig ingerichte kamers beschikken over een bad en toilet, airco, koelkast en televisie.

President Inn (L 5)

155/14 Soi 11, Thanon Sukhumvit
Sukhumvit
tel. 255 42 30–4
fax 255 42 35
presitel@ksc.th.com
Sky Train: station Nana
2 pk vanaf 700 baht
Familiehotel, klein en vriendelijk, eenvoudig en schoon. Lage week- en maandprijzen.

River View Guest House (E/F 6)

768 Soi Phanu Rang Si
Thanon Songwat, Samphan Thawong
tel. 234 54 29
fax 237 54 28
expresboot tot Harbour Department Ferry Pier
2 pk vanaf 450 baht
Een dag in Bangkok kan nauwelijks prettiger beginnen dan met ontbijt op het dakterras van dit pension. De kamers zijn eenvoudig en schoon en beschikken allemaal over airco of een plafondventilator. Een superadres voor diegenen die zuinig met hun reisbudget moeten zijn.

The Bed en Breakfast (H 4)

36/42–43 Soi Kasem San 1
Thanon Rama I, Pathumwan
tel. 215 30 04
fax 215 24 93
Sky Train: station National Stadium, dan tuk-tuk
2 pk vanaf 450 baht
'Spend a night, not a fortune' is het motto van dit pension op loopafstand van het Siam Square. De kamers hebben airco en een bad. Keurig en leuk.

The Best Bangkok House (J 4)

68/1–4, Soi 15, Thanon Petchaburi
Pratunam
tel. 251 80 01
fax 252 11 64
info@bestbkk.com
www.bestbkk.com
AC-bus: 13, 15, 38, 139, 140
2 pk vanaf 850 baht
Het enigszins steriele hotel biedt veel voor zijn geld: functionele, goede kamers met airco en bad/wc, een keurig restaurant en een gunstige ligging.

Woodlands Inn (F 7)

1158/5–7 Soi 32
Thanon Charoen Krung, Bangrak
tel. 235 66 40
fax 237 54 93
manager@woodlandsinn.org
www.woodlandsinn.org
AC-bus: 2, 4, 5, 15
2 pk vanaf 470 baht
Sober, maar de vele vaste gasten houden van de rustige, doch centrale ligging nabij de Mae Nam Chao Phraya – op loopafstand van *Chinatown* en het *Central Business District* aan de Thanon Silom. Het Indiase restaurant The Cholas geldt als een van de beste in zijn prijsklasse in Bangkok.

Middenklasse

Bossotel Inn (F 8)

55/12–13 Soi Charoen Krung 42/1
Bangrak
tel. 630 61 20–9
fax 237 32 25
bossbk@bossotelinn.com
www.bossotelinn.com
AC-bus: 2, 4, 5, 15
2 pk vanaf 1150 baht
Dit kleine hotel heeft twee grote pluspunten: de centrale, maar rustige ligging en de gezellige sfeer. De kamers zijn ruim en comfortabel, en er zijn een restaurant, sauna en whirlpool.

City Lodge (L 5)

Soi 9, Thanon Sukhumvit, Sukhumvit
tel. 253 77 05
fax 255 46 67
citylodge9@amari.com
www.amari.com
Sky Train: station Nana
2 pk vanaf 1250 baht
Dit onderkomen onderscheidt zich door de voortreffelijke service. De praktisch en comfortabel ingerichte kamers beschikken over een toilet, bad, airco, koelkast met minibar, kluis en satelliet-tv. Neem liever geen kamer aan de straatzijde. De gasten kunnen gratis gebruikmaken van het zwembad in het nabijgelegen luxehotel Amari Boulevard (Soi 5, Thanon Sukhumvit).

Manhattan Hotel (L 5)

13 Soi 15, Thanon Sukhumvit
Sukhumvit
tel. 255 01 66
fax 255 34 81
hotelmanhattan@bigfoot.com
www.hotelmanhattan.com
Sky Train: station Asoke
2 pk vanaf 1600 baht
Dit rustige hotel is geschikt voor gezinnen en heeft ruime kamers met airco, een restaurant en een zwembad. Er zijn in de omgeving een paar Europees georiënteerde restaurants te vinden.

Manohra Hotel (F 7)

412 Thanon Surawong, Bangrak
tel. 234 50 70–88
fax 237 76 62
www.manohrahotel.com
AC-bus: 2, 4, 5, 15
2 pk vanaf 1400 baht
Vanaf dit centraal gelegen hotel, dicht bij de Surawong Road, is het maar een klein stukje lopen naar de winkelwijk Silom en naar Patpong, de rosse buurt van Bangkok. Na het winkelen of stappen kunt u op het begroeide dakterras of aan het zwembad bijkomen. Het hotel oogt een beetje kleurloos en conservatief, maar de kamers met airco zijn ruim en huiselijk ingericht.

Royal Benja Hotel (L 5)

39 Soi 5, Thanon Sukhumvit
Sukhumvit
tel. 655 29 20–53
fax 655 29 59
info@royalbenja.th.com
www.royalbenja.th.com
Sky Train: Station Nana, dan taxi of tuk-tuk
2 pk vanaf 1500 baht
'Koninklijk' overnachten voor een prikje. Alle 400 kamers en suites van de hotelflat, gelegen in een rustige zijstraat van de drukke Thanon Sukhumvit, laten qua inrichting niets te wensen over. U kunt heerlijk ontspannen in de whirlpool op het begroeide dakterras.

Royal Hotel (D 3)

Thanon Ratchadamnoen, Phra Nakhon
tel. 222 91 11–26
fax 224 20 83
reservations@rattanakosin.com
AC-bus: 2, 3, 6, 8, 12, 15, 39, 44, 153 tot Sanam Luang
2 pk vanaf 1300 baht
Zowel de Sanam Luang, met de voornaamste culturele bezienswaardigheden, als de markt- en winkelwijk Banglam-phoo zijn niet ver weg. Daardoor heeft dit aan tradities rijke hotel veel vaste gasten. Het hotel ziet er van buiten niet erg uitnodigend uit, maar binnen wordt u verrast door de historische, doch enigszins stoffige flair. Alle kamers hebben airco, tv, een koelkast en een badkamer met toilet. Het restaurant is rustig en degelijk. Het turkooizen zwembad op de binnenplaats nodigt u uit voor een duik.

Thanon Khao San: hier vindt u hotels voor de krappe beurs

Stable Lodge (L 5/6)

39 Soi 8, Thanon Sukhumvit
Khlong Toey
tel. 653 00 17–9
fax 253 51 25
hotel@stablelodge.com
www.stablelodge.com
Sky Train: station Nana, dan taxi of tuk-tuk
2 pk vanaf 1095 baht
In het hart van de wijk Sukhumvit biedt dit moderne hotel onder Deens-Thaise leiding 94 weliswaar tamelijk kleine, maar doelmatig ingerichte kamers met bad, airco, koelkast, televisie en balkon. Aan het zwembad merkt u niets van de drukte op de Sukhumvit Road. Voor 375 baht is er om 18.00 uur een *all you can eat*-barbecue.

The Promenade (L 6)

18 Soi 8, Thanon Sukhumvit
Sukhumvit
tel. 253 41 16
fax 254 77 07
promenade@psi-promenade.com
www.psi-promenade.com
Sky Train: station Nana, dan taxi of tuk-tuk
2 pk vanaf 1150 baht
De inrichting van dit moderne stadshotel is functioneel. Het dakterras met zwembad en prachtig uitzicht is een oase van rust. De ligging is ideaal voor winkelen en uitgaan.

Viengtai Hotel (D 3)

42 Thanon Tanee, Banglamphoo
tel. 280 54 34–45
fax 281 81 53
info@viengtai.co.th
www.viengtai.co.th
AC-bus: 2, 3, 6, 8, 12, 15, 39, 44, 153 tot Sanam Luang, dan taxi of tuk-tuk
2 pk vanaf 1650 baht
Dit hotel is een ideaal adres voor lief-

hebbers van cultuur, want het Nationaal Museum, de Wat Phra Kaeo en het koninklijk paleis liggen allemaal op loopafstand. Alle tweehonderd kamers zijn in aangename tinten ingericht. Op het menu van het restaurant staan Thaise en internationale specialiteiten.

Comfort

Ambassador Hotel (L 5)

171 Soi 11–15, Thanon Sukhumvit
Sukhumvit
tel. 254 04 44
fax 253 41 23
amtel@ksc.th.com en
amt@bkk1.loxinfi.co.th
www.ambassadorhotel.co.th
Sky Train: station Nana, dan tuk-tuk
2 pk vanaf 2250 baht
Wie een all-inreis naar Bangkok boekt, belandt vaak in het Ambassador, en daar zit u niet slecht. De duizend, barok ingerichte kamers beschikken over alle comfort en zijn verspreid over een zeven verdiepingen hoog hoofdgebouw en een 27 etages tellende torenflat. Er zijn diverse restaurants en er is ook een fitnessruimte.

Baiyoke Sky Hotel (J 3)

222 Thanon Ratchaprarop, Pratunam
tel. 656 30 00
fax 656 35 55
baiyokesky@bayoke.co.th
www.bayokehotel.co.th
AC-bus: 13, 15, 38, 139, 140
2 pk vanaf 3200 baht
Hier ligt Bangkok aan uw voeten. Dit 88 verdiepingen hoge gebouw pronkt met de leus 'The world's tallest hotel'. Elk van de 673 elegant ingerichte kamers biedt een fraai uitzicht over de stad. Er zijn diverse bars en restaurants, op de 17e verdieping is een zwembad.

Rembrandt Hotel (M 6)

Soi 18, Thanon Sukhumvit
Khlong Toey
tel. 261 71 00
fax 261 70 17
reservations@rembrandtbkk.com
www.rembrandtbkk.com
Sky Train: station Asoke, dan tuk-tuk
2 pk vanaf 4200 baht
Dit is een van de meest geliefde betere hotels van de stad. Achter de onopvallende gevel van glas en beton gaat onder andere een fraaie, met marmer aangeklede lobby schuil. Wat deze luxueuze ruimte belooft, wordt waargemaakt in de comfortabel ingerichte kamers. Rang Mahal, het restaurant van het hotel, geldt als het beste Indiase restaurant van Bangkok. Hooggeprezen worden ook de drie andere Rembrandt-restaurants: Da Vinci (Italiaans), Red Pepper (*Thai style nouvelle cuisine*) en Señor Pico (Mexicaans). Khun Pratchamaphorn, verantwoordelijk voor de *front office*, en haar goed geschoolde personeel staan altijd klaar met mooie uitgaanstips en overige informatie.

Tara Hotel (M 6)

18/1 Soi 20, Thanon Sukhumvit
Khlong Toey
tel. 259 29 00
fax 259 28 96
taraimpa@asianet.co.th
www.imperialhotels.com
Sky Train: station Asoke, dan tuk-tuk
2 pk vanaf 3950 baht
Achter een nietszeggende façade gaat een verrassend aantrekkelijk ingericht hotel schuil. Elk van de 195 kamers is in vrolijke kleuren aangekleed. Aan het zwembad, op het terras op de achtste verdieping, kunt u ontspannen met uitzicht op de wolkenkrabbers van Bangkok. Er zijn diverse restaurants, er is een

fitnesscentrum en het hotel ligt gunstig voor winkelen en het nachtleven. Geliefd bij all-in-toeristen met mondaine trekjes.

The Swiss Lodge (H 7)

3 Thanon Convent, Sathorn
tel. 233 53 45
fax 236 94 25
info@swisslodge.com
www.swisslodge.com
Sky Train: station Sala Daeng, dan taxi of tuk-tuk
2 pk vanaf 4300 baht
Dit kleine hotel in de rosse buurt is zowel charmant als intiem. De kamers zijn elegant, maar wel een tikkeltje kitscherig ingericht. De gasten krijgen allen een persoonlijke benadering. In café Swiss kunt u eventuele heimwee de kop indrukken door wat Europese gerechten te nuttigen. Dit hotel is een van de weinige hotels in Bangkok waar kamers zijn ingericht voor gehandicapten.

Tower Inn (G 7)

533 Thanon Silom, Bangrak
tel. 237 83 00–4
fax 237 82 86
towerinn@a-net.net.th
www.towerinnbangkok.com
Sky Train: station Chong Nonsi, dan taxi of tuk-tuk
2 pk vanaf 2900 baht
Het hoogtepunt van dit betrouwbare hotel is het terras op de 19e verdieping. Ver weg van de drukte van Thanon Silom kunt u zich daar aan het zwembad ontspannen of genieten van het uitzicht op het silhouet van het Central Business District bij zonsondergang. Alle kamers en appartementen op de 7e tot 18e verdieping zijn heel ruim uitgevoerd. Er is ook een fitnessruimte. Het hotel ligt op luttele minuten van het episch uitgaanscentrum in de Patpong.

Luxe

Dusit Thani Hotel (J 7)

Thanon Rama IV, Bangrak
tel. 236 99 99
fax 636 02 84
booking@dusit.com
www.dusit.com
Sky Train: station Sala Daeng
2 pk vanaf 5850 baht
Toen het Dusit Thani in 1970 werd gebouwd, was het met 22 verdiepingen nog een eenzame wolkenkrabber in een stad vol laagbouw. Tegenwoordig valt het gebouw in het niet tussen de moderne wolkenkrabbers, maar aan de populariteit van het hotel doet dat geen afbreuk. Dat komt vooral door de comfortabele kamers, de uitstekende restaurants en het vriendelijke personeel dat het de gasten naar hun zin wil maken.

Shangri-La Hotel (F 8)

89 Soi Wat Suan Plu
Thanon Charoen Krung, Bangrak
tel. 236 77 77
fax 236 85 79
slbk@shangri-la.com
www.shangri-la.com
Sky Train: station Saphan Taksin
expresboot tot Sathorn Ferry Pier
2 pk vanaf 8000 baht
Het Shangri-La wordt weliswaar het 'goedkopere' alternatief voor het naburige Oriental genoemd, maar om hier te overnachten moet u ook al flink in de buidel tasten. Voor dat geld krijgt u operette-achtig ingerichte, zeer comfortabele kamers. 's Avonds geniet u vanaf de terrassen van de restaurants van het uitzicht op de Mae Nam Chao Phraya. Panya Wongtaveepittayakul, de plaatsvervangende Front Office-manager, geeft graag tips over sightseeing, winkelen en uitgaan.

The Oriental (F 7)

48 Oriental Ave., Bangrak
tel. 236 04 00–20
fax 236 19 37–39
reservation@orbkk.com
www.mandarin-oriental.com
Sky Train: station Saphan Taksin
expresboot tot Oriental Ferry Pier
2 pk vanaf 9500 baht
Het Oriental staat al jaren in de top van de beste hotels ter wereld. Het hotel is een levende legende en is een synoniem voor service. Somerset Maugham, Joseph Conrad en Graham Greene overnachtten hier. De uit 1877 daterende 'schrijversvleugel' toont een Victoriaanse overdaad aan marmer en mahonie. Vandaag de dag geven tal van internationale beroemdheden zoals David Bowie, Mick Jagger en Tom Cruise zich graag over aan de nostalgie.

The Sukhothai (J 7)

13/3 Thanon Sathorn Tai, Sathorn
tel. 287 02 22
fax 285 40 33
www.sukhothai.com
minibus: 11, 18
2 pk vanaf 7200 baht
In tegenstelling tot de hotelflats is dit extravagante *hideaway* dat een melange is uit elementen van Thaise religieuze architectuur en minimalisme van de jaren negentig, 'oorspronkelijk' gebleven. De kamers zijn luxueus ingericht. Service en faciliteiten overtreffen de stoutste verwachtingen van de verwende gast die kalm moet toezien hoe bij al dit comfort zijn portemonnee sneller smelt dan ijs onder een hoogtezon. Met gourmetrestaurants, prachtig zwembad en prima voorzieningen.

Appartementen

Boss Tower (L 8)

3241 Thanon Rama IV, Khlong Toey
tel. 661 31 50–70
fax 661 32 99
www.bosstower.com
AC-bus: 7, 141
suite (78 m^2) 19 000 baht, suite (94 m^2) 21 000 baht, penthouse (284 m^2) 65 000 baht per maand
Dit complex kent een centrale, maar rustige ligging en is een goedkoop alternatief voor wie langer in Bangkok blijft. Voor de prijs van een hotelkamer krijgt u hier een ruim en comfortabel ingericht appartement met airco, kookhoek, koelkast, bad/wc, televisie, telefoon en room service. Bij het complex horen een zwembad, fitness-studio, restaurant en een kleine supermarkt.

In het Shangri-La Hotel geniet u van hemelse rust

Voor jongeren

Bangkok YMCA Collins International House (J 7)

27 Thanon Sathorn Tai, Sathorn
tel. 287 19 00
fax 287 19 96
bkkymca@asiaaccess.net.th
www.ymcabangkok.com
AC-bus: 15, 67
2 pk vanaf 1750 baht
Deze YMCA is geen jeugdherberg met muffe slaapzalen, maar een modern hotel met restaurant en zwembad waar ook (echt-)paren terecht kunnen. Alle kamers zijn licht en aangenaam ingericht en beschikken over airco, douche, toilet, koelkast, telefoon en televisie. De jeugdherberg is erg populair en dus snel volgeboekt. Reserveer dus ruim op tijd!

Sawasdee House (C 3)

147 Soi Ram Buttri, Thanon Chakrabongse, Banglamphoo
tel. 281 81 38
fax 629 09 94
Sawasdee_House@hotmail.com
AC-bus: 2, 3, 6, 8, 12, 15, 39, 44, 153 tot Sanam Luang, dan taxi of tuk-tuk
2 pk vanaf 300 baht
Dit gezellige onderkomen ligt in een rustig straatje dicht bij de Wat Chai Chanasongkhram en ver van het gekrioel van Thanon Khao San, dé wijk voor rugzakkers uit de hele wereld. Gerenoveerde, comfortabele kamers met douche en wc, naar keus ventilator of airco, hulpvaardig personeel. Het sfeervolle restaurant is ook bij de Thai populair. Reserveren, want het is vaak vol! In de nabije omgeving vindt u meer dan 100 nog goedkopere alternatieven.

Eten en drinken

Ook midden in de nacht is er nog overal eten te koop...

De inwoners van Bangkok lijken altijd en overal te eten, want in de stad wordt altijd en overal gebakken, gesudderd, gegrild en gekookt – lekker, verzorgd en goedkoop, op de hoek van de straat, in een eenvoudige gaarkeuken, een simpel etablissement of een deftig specialiteitenrestaurant. Voor zonsopkomst neemt men een rijstsoepje, voor het slapen gaan nog snel een bordje noedels. De hoofdmaaltijd rond het middaguur of in de vroege avond bestaat meestal uit verschillende bijgerechten. En tussendoor wordt de maag verwend met allerlei kleine snacks zoals kleefrijst, gedroogde inktvis, *pbo-pbia* (loempia), saté, *yam nüa* (rundvleessalade met koriander), *khao pad gung* (rijst met garnalen) en ga zo maar door... Of zoals men ook wel zegt: 'Thai doen twee dingen, ze eten of ze denken wat ze hierna kunnen eten'.

Heerlijk en gezond

Hoewel de inwoners van Thailand er om bekend staan dat ze graag eten, zijn ze meestal slank en elegant. 'Hoe doen ze dat nou?' vragen veel caloriebewuste bezoekers uit Europa zich dikwijls af. Heel eenvoudig. Thai eten de hele dag door kleine beetjes in plaats van enkele keren een stevige maaltijd. In plaats van grote hoeveelheden vlees komen er vooral veel vetarme en vitaminerijke gerechten zoals groente, gevogelte en vis op tafel. De gerechten, die aan het tropische klimaat zijn aangepast, worden fijn gekruid, hetgeen niet alleen goed is voor de smaak maar ook bevorderlijk voor de gezondheid. Waar u ook gaat of staat in Bangkok, overal hangt die karakteristieke geur van kruiden en specerijen in de lucht, een onweerstaanbare mengeling van basilicum en chilipoeder, kalanswortel en gember, koriander en knoflook, munt en citroengras en *naam plaa*, een dunne vloeibare saus van gefermenteerde vis die gebruikt wordt als vervanging voor zout.

Veelzijdig, maar harmonieus

De kenners noemen de Thaise keuken een van de beste ter wereld. De afwisseling van de gerechten is ongeëvenaard, en het is zeker niet zo dat het nationale gerecht, de *tom yum gung* (een scherpe, zurige garnalensoep) maatgevend is voor de scherpte van het Thaise eten, want er zijn ook tal van veel mildere schotels. Bij een etentje in een groot gezelschap worden zo veel mogelijk verschillende lekkernijen op tafel gezet en iedereen neemt waar hij trek in heeft. Maar ook nu wordt rekening gehouden met de harmonie: tegenover elk scherp gerecht staat een mild hapje, tegenover elke zoete schotel een zuur gerecht, tegenover elk baksel een stoofschotel, tegenover iets vloeibaars staat iets knapperigs. Ook de ingrediënten moeten verschillend zijn, naast vis- ook vleesgerechten. Een typisch menu met verschillende bijgerechten is niet compleet zonder kerrie. Dit gerecht van Indiase origine wordt in Thailand met veel cocosmelk bereid en wordt in verschillende scherptes geserveerd. Anders dan bij ons wordt soep niet als voorgerecht, maar tegelijk met het hoofdgerecht gegeten. Thaise gerechten eet men overigens met de lepel in de rechter- en de vork in de linkerhand, stokjes gebruikt men uitsluitend voor noedelsoepen en Chinese gerechten.

Vernieuwend of traditioneel?

Zo multicultureel als de stad tegenwoordig is, zo veelzijdig is ook het culinaire aanbod. Afgesloten van invloeden van buitenaf hebben vooruitstrevende koks in de laatste jaren de *Thai nouvelle cuisine* gecreëerd. Op zijn Thais worden de aroma's van lichte Thaise gerechten gecombineerd met andere Aziatische, Franse en Italiaanse invloeden. Tegenover deze experimentele kookstijl staat de traditionele *royal thai cuisine*, die op oude, in de loop der eeuwen steeds verder verfijnde recepten gestoeld is. Eén overeenkomst hebben ze echter allemaal: in Bangkok brengen de mensen koken en eten altijd in verband met *sanuk*: genot.

Cafés

Byte in @ Cup (H 5)

Siam Discovery Center, 4e etage
Thanon Rama I, Pathumwan
tel. 658 04 33
dag. 10–20 uur
Sky Train: station Siam Square
maaltijd 100–150 baht
Pretentieloze ontmoetingsplek van internetfreaks en liefhebbers van exquise koffiesoorten en fantasierijke sandwiches. Populair bij het overwegend jeugdige publiek is de drank met de spannende naam *Frozen Cappuccino* en de zogeheten *Smokey Chic-Chick*, een sandwich met gerookte kipfilet en avocado.

Phu Fah Café (H 5)

Siam Discovery Center, 2e etage
Thanon Rama I, Pathumwan
tel. 658 02 09
dag. 10–20.30 uur
Sky Train: station Siam Square
maaltijd 50–150 baht
Genieten van koffie en thee, sandwiches en snacks – en tegelijk een goed doel steunen. Dat is het concept van dit café, opgericht door de bij alle Thai geliefde prinses, Hare Koninklijke Hoogheid Maha Chakri Sirindhorn. Wisselende tentoonstellingen geven informatie over de verschillende projecten met als doel de stimulering van het platteland. Deze projecten worden betaald door de opbrengsten uit dit café.

Sari Café (H 7)

Thanon Surawong/Thanon Patpong
Bangrak
tel. 236 45 97
dag. 7–22 uur
Sky Train: station Sala Daeng
maaltijd 80–120 baht
Dit café-restaurant bij de rosse buurt is een ontmoetingsplek, snackbar, leeshoek, speelhal, opvang van eenzamen en een ontnuchteringscel voor nachtbrakers. Het personeel met jarenlange ervaring bedient zijn klanten kundig en geroutineerd.

Culinaire woordenlijst

Ontbijt

khai luak / tom zacht / hard gekookt ei
khai khon roerei
khai taao spiegelei
khai thoot omelet
khai yat sai omelet, gevuld met groenten
khai yat sai muu omelet, gevuld met groente en varkensvlees
khanompang ping geroosterd brood
khaao tom (kai, muu) rijstsoep (met kip, varkensvlees)

Voorgerechten

khanompang naa muu geroosterd brood met varkensgehakt en sesamzaad
pbo pbia thoot gebraden loempia's
thoot man plaa gebraden viskoekjes

Soepen

kääng djüüt milde soep met bladgroenten en vlees
kääng liang groentesoep
tom khaa kai kippensoep met kokosmelk en kalanswortel, de 'siamese gember'
tom yum kai zuur-scherpe kippensoep
tom yum kung zuur-scherpe garnalensoep

Kerries

kääng karii milde, Indische kerrie
kääng khiao waan zeer scherpe, groene kerrie
kääng massaman milde kerrie met aardappelen
kääng panäng scherpe kerrie met bamboescheuten
kääng phet scherpe kerrie

Vlees, vis en zeebanket

kai kippenvlees
muu varkensvlees
nüa rundvlees
ped eendenvlees
plaa vis
kung garnalen
puu kreeft
aahaan thalee gerechten met zeevruchten

Bereidingswijzen

nüng gestoofd
phat gebraden
thoot gebakken
tom gekookt
yaang gegrilt

Rijst- en miegerechten

ba mii eiermie van tarwemeel (gelig)
ba mii nam (kai, muu...) soep met eiermie (en kip, varkensvlees...)
khaao plaao gekookte rijst
khaao niao kleefrijst
khaao phat (kai, kung...) gebakken rijst (met kip, garnalen...)
kuai tiao rijstmie (wit)
kuai tiao rad naa (kai, muu...) knapperig gebraden rijstmie (met kip, varkensvlees...)
phat thai sai kung gebakken mie op Thaise wijzer met garnalen

Salade

laab (kai, muu, nüa, plaa...) gepeperde gehaktsalade (van kip, varken, rund, vis...) met pepermuntbladeren en kruiden
nüa nam tok rundvleessalade met Thaise basilicum
somtam pikante salade van geraspte, groene papaya, cocktailtomaten, pepers, pinda's, citroensap,

knoflook, gedroogde en gestampte garnalen, vissaus en krabbenpasta
yam nüa rundvleessalade met koriander
yam plaamük inktvissalade
yam wunsen (gai, muu...) mihoensalade (met kip, varkensvlees...)

Specialiteiten op de menukaart

kai phat baikrapao gebraden kippenvlees met Thaise basilicum
kai phat metmamuang gebraden kippenvlees met cashewnoten
kai phat noomay gap het gebraden kippenvlees met bamboescheuten en morille
kai takrai kippenborst op citroengras
kai yaang gegrilde kip
khaao man kai kip met rijst en een pikante gembersaus
kung nüng krathiam phak chii gestoofde garnalen met knoflook en koriander
muu phat king gebraden varkensvlees met gember
muu thoot krathiam prikthai varkensvlees met knoflook en pepers
muu priao waan zoet-zuur varkensvlees
nüa phat nam manhoy gebraden rundvlees met oestersaus
ped op nam püng eend, gebakken met honing en Thaise kruiden
phat noomay sai khai gebakken bamboescheuten met eieren
phat phak ruam mit gemengde gebakken groente
plaamük yat sai inktvis, gevuld met groente en varkensgehakt
plaa thoot gebakken vis
sate (kai, muu...) satéstokjes (kip, varkensvlees...) met pindasaus
tom yam talueram zuur-scherpe soep met vis, garnalen en mosselen
yam som-oo bitterscherpe grapefruitsalade

Nagerechten en snacks

khaao laam zoete / zoute kleefrijst met kokosmelk en zwarte bonen in bamboehulsen
khaao niao mamuang zoete kleefrijst met kokosmelk en verse mango's
kluai buat chii bananen in kokosmelk
kluai thoot gegrilde bananen

Fruit

farang guave
khanun nangka
kluai bananen
malako papaya
mamuang mango
mangkut mangistan
saparot ananas
som sinaasappel / mandarijn
som-oo grapefruit

Dranken

bia bier
chaa thee
kafää koffie
lao alcoholische dranken
nam (yen) (ijs-)water
nam manao citroensap
nam maprao kokosnotensap
nam som vers sinaasappelsap
nom (sot) verse melk

Goed en goedkoop

Cabbages en Condoms (L 6)

10 Soi 12, Thanon Sukhumvit
Sukhumvit
tel. 229 46 11
dag. 11–22 uur
Sky Train: station Asoke, dan taxi of tuk-tuk
menu: 200–400 baht
Deze gelegenheid, waar men heerlijke Thaise gerechten serveert in een luchtige tuin of in een restaurant met airco, wordt geleid door de Population and Community Planning Association (PDA), een in 1974 opgerichte particuliere organisatie voor gezinsplanning. De opbrengsten zijn bedoeld voor de geboortebeperking en aidspreventie. Een kunstwerkje is de *tom kha gai*, een romige kippensoep met kokosmelk, terwijl de *spicy condom salad*, een pikante noedelsalade met pepers en kruiden, enigszins frivool aandoet. Bij het afrekenen krijgen de bezoekers gratis condooms overhandigd.

Coca Suki Restaurant (H 5)

– Siam Square/Thanon Henry Dunant
Pathumwan
tel. 251 35 38
Sky Train: Station Siam Square
– 8 Soi Tantawan, Thanon Surawong
Bangrak (H 7)
tel. 236 93 23
dag. 11–24 uur
Sky Train: station Sala Daeng
menu: 200–400 baht
De uit Japan overgenomen *Sukiyaki* of *Steamboat* is bij heel veel Thai zeer populair. In fonduepannen gevuld met een hete vlees-groentebouillon gaart men visballetjes, stukjes visfilet, met gehakt gevulde inktvis, kalkoenstukjes, scampi en andere lekkernijen. Hoe langer de toog, hoe meer plezier men aan de *sukiyaki* beleeft. Meestal zitten deze restaurants erg vol, maar het verloop hier is zo groot dat lang wachten op een plekje aan de toog meestal niet nodig is.

Harmonique (F 7)

22 Soi 34, Thanon Charoen Krung
Bangrak
tel. 237 81 75
dag. 11–22 uur
AC-bus: 1, 7
menu: 300–400 baht
Een klein, maar fijn en zeer rijkelijk met antiek ingericht restaurant met attente en persoonlijke service, tevens een oase van rust in het hectische Central Business District. De creatieve kok gebruikt alleen maar ingrediënten van de beste kwaliteit en maakt daarvan met veel fantasie en deskundigheid een overheerlijke Thaise maaltijd. Het is opmerkelijk te noemen tegen welke lage prijs deze maaltijden geserveerd worden.

Kao Gub Kaeng (H 7)

42 Thanon Convent, Bangrak
tel. 632 11 22
dag. 11–23 uur
Sky Train: station Sala Daeng, dan taxi of tuk-tuk
maaltijd 100–200 baht
In dit sober ingerichte restaurant serveert men een grondstof van de Thaise keuken in fantasierijke variaties – kerrie op rijst. Pikant zijn *kaeng massaman*, een milde zoetzure kerrie op basis van aardappel, pinda, tamarinde en palmsuiker, en *kaeng panaeng*, een zure kerrie met bamboespruiten en veel kokosmelk. Erg scherp is *kaeng ped phet yaang*, gegrillde eendenborst met groene dwergaubergines in rode kerrie. In dit restaurant spelen van 20 tot 22 uur live-jazzbands.

Een tafel vol hapjes: etende monniken in de Wat Indraviharn

Mah Boon Krong Foodcenter (H 5)

444 Thanon Phayathai, Pathumwan
tel. 217 92 49
dag. 10–21 uur
Sky Train: station National Stadium
maaltijd 50–100 baht

De eigenaars van mobiele keukentjes, die vroeger op de fiets van straat tot straat gingen, hebben tegenwoordig in de moderne wijken van Bangkok een vaste plek veroverd op een van de overdekte markten of in een winkelcentrum. Op de vijfde verdieping van het warenhuis Mah Boon Krong verdringen zich tegen de honderd stalletjes, die een bonte verzameling van de Aziatische keuken vertegenwoordigen. Het adres voor mensen met veel honger en weinig geld (zoals de auteur van deze gids). Voor een habbekrats eet u hier Chinese haaienvinnensoep, Japanse sushi of Thaise balletjes van kippenvlees. U betaalt met coupons, die u voor aanvang bij een kassa koopt; coupons die u overhoudt, kunt u weer inwisselen. Soortgelijke *foodcenters* bevinden zich onder andere in de Robinson Department Store aan de Thanon Sukhumvit, in Old Siam Plaza in de 'Indische' wijk Pahurat en aan de Pratunam Market.

Prik Kee Noo (H 7)

Sivadon Bldg., 1/2 Thanon Convent
Bangrak
tel. 631 23 24
dag. 11.30–23 uur
Sky Train: station Sala Daeng, dan taxi of tuk-tuk
maaltijd 50–150 baht

Prik kee noo (ook 'muizenexcrementpepers') noemt men in Thailand de kleine groene of rode, ongelofelijk scherpe pepers. Tere zielen zonder stalen keel bestellen het beste eten met de toevoeging *mai phet* (niet scherp) of *phet nid noi* (beetje scherp). Neem in ieder geval wel genoeg zakdoekjes mee!

Royal Navy Club (C 4)
Thanon Mahathat, Rattanakosin
tel. 223 37 93
dag. 7–22 uur
expresboot tot Tha Chang Ferry Pier
maaltijd 50–120 baht
De naam en de gerechten zijn koninklijk, de inrichting is dat niet. Hoewel hier het personeel van het hoofdkwartier van de Koninklijke Marine eet, is dit eenvoudige, vaak volle restaurant bij de Tha Chang Ferry Pier voor iedereen toegankelijk. Met een beetje geluk krijgt u een tafel vlakbij de rivier – het uitzicht verdient vijf sterren.

Seefah (H 5)
– 434–440 Soi 7, Siam Square
Pathumwan
tel. 251 55 17
Sky Train: station Siam Square
– Soi Thaniya, Thanon Silom
Bangrak (H 7)
tel. 235 32 90
dag. 10–22 uur
Sky Train: station Sala Daeng
maaltijd 80–200 baht
Het interieur doet denken aan McDonald's, maar op tafel komen de beste Thaise gerechten. Dat weten ook de mensen die in de omringende kantoren werken. Ze komen hier graag lunchen.

Ta-Ling-Pling (G 7/8)
60 Thanon Pan, Bangrak
tel. 236 48 30
dag. 11–22.30 uur
Sky Train: station Chong Nonsi, dan taxi of tuk-tuk
menu: 200–300 baht
De 'brutale lummel' is een modern, charmant restaurant waar men Thaise gerechten serveert die door het wat beperkter gebruik van pepers niet onmiddellijk tot oververhitting van de westerse papillen leiden. Hier komen ook veel *farangs* die in het nabije Central Business District aan de Thanon Silom werken.

Yong Lee (L 5)
213 Soi 15 (Soi Ruamchai)
Thanon Sukhumvit, Sukhumvit
tel. 251 52 62
dag. 10–20 uur
Sky Train: stations Nana of Asoke
maaltijd 80–100 baht
Dit restaurant bestaat inmiddels alweer zo'n twintig jaar, en de 'Chinese' keuken, waar ook veel Thaise gerechten worden bereid, is in de omgeving van Sukhumvit Road zo langzamerhand een instituut. Er is geen menukaart, het personeel spreekt amper Engels en de eigenaar brengt *farangs* graag een paar baht meer in rekening dan de Thaise gasten. Aan de drukte te beoordelen kan hij zich dat veroorloven.

Thai style nouvelle cuisine

Lemongrass (ten oosten van M 7)
5/1 Soi 24, Thanon Sukhumvit
Khlong Toey
tel. 258 86 37
dag. 11–14, 18–23 uur
Sky Train: station Phrom Pong, dan taxi of tuk-tuk
menu: 400–600 baht
Dit stijlvolle restaurant is bekend om zijn innovatieve keuken. De gerechten zijn een Bangkokse mengeling van verschillende invloeden. Chef-kok Addisorn Saengsumol is schatplichtig aan de *Royal Thai cuisine*, maar combineert die met mediterrane invloeden. Het resultaat is een genot voor oog en mond: kipfilet met reepjes groene papaja, in bananenblad gegaarde visfilet en in

schijfjes paddestoel gewikkelde garnalen. Voor 's avonds is het raadzaam om te reserveren.

Maha Naga (M 6)

2 Soi 29, Thanon Sukhumvit
Sukhumvit
tel. 662 30 60
dag. 11–14.30, 18–23 uur
Sky Train: station Asoke, dan taxi of tuk-tuk
menu: 600–800 baht
Het motto van de chefkok luidt: 'East meets west'. Zijn creaties zijn een mengeling van klassiek Thais met een flinke scheut Italiaans-Franse keuken – het resultaat: een goede *crossover*-keuken. Sfeervolle ambiance in een monumentaal Thais woonhuis.

Red Pepper (M 6)

Rembrandt Hotel, Soi 18
Thanon Sukhumvit, Khlong Toey
tel. 261 71 00
dag. 17–1 uur
Sky Train: station Asoke, dan taxi of tuk-tuk
menu: 600–800 baht
Door het Bangkokse lifestyle-magazine 'Metro' onlangs tot het beste hotelrestaurant van de stad uitgeroepen op het gebied van de *Thai nouvelle cuisine*. Daarvoor was het lange tijd een tip onder kenners. Trendsettend op het gebied van stijl en decoratie van de creatief bereide gerechten. Stamgasten zweren bij de Durian-kwarktaart die nergens beter is dan hier. Dagelijks behalve maandag live pianomuziek.

Royal Thai cuisine

Baan Khanitha (M 6)

36/1 Soi 23 (Soi Prasanmit)
Thanon Sukhumvit, Sukhumvit
tel. 258 41 81
dag. 11–14, 18–23 uur
Sky Train: station Asoke, dan taxi of tuk-tuk
menu: 600–800 baht
Hier serveert men in een stijlvolle ambiance de koninklijke Thaise keuken. In een gedempte sfeer in een authentiek Thais huis worden de gasten voorkomend en met prachtige gerechten verwend. De culinaire symbiose van traditie en innovatie zoals die zich hier voltrekt, doet critici steeds weer naar nieuwe superlatieven zoeken. Specialiteiten zijn *yam som-oo*, een bitter-scherpe salade, en *gai takrai*, kipfilet op citroengras. Formele kleding is gewenst evenals een tijdige reservering. In het filiaal van dit restaurant in de Soi Ruam Rudi 2, tel. 253 46 38, gaat het wat minder formeel toe. Door de week wordt in beide restaurants een *special daily set lunch* voor 190 baht aangeboden.

Benjarong (J 7)

Dusit Thani Hotel, Thanon Rama IV
Bangrak
tel. 236 04 50–9
ma.-vr. 11.30–14, 18.30–22, za./zo. 18.30–22 uur
Sky Train: station Sala Daeng
menu: 1000–1200 baht
In deze tempel der gastronomie komt de Thaise haute cuisine volledig tot zijn recht. De gerechten die men in de keuken onder leiding van chef-kok Munintra Saengsuvimol bereidt, zijn niet alleen een feest voor de tong, maar ook voor de ogen. Wie belangstelling heeft, kan zich tijdens een kookcursus laten inwijden in de geheimen van de Royal Thai Cuisine. Op de wijnkaart staan goede wijnen uit Europa en Australië. Avondkleding en tijdige reservering zijn beide verplicht!

Kookcursussen

De **Thai Cooking School** in het Oriental biedt kookcursussen aan voor de hoogste culinaire smaak. In vier ochtendsessies wijden koks u in in de geheimen van de verfijnde Thaise kookkunst.
The Oriental, 48 Oriental Ave., Bangrak
tel. 236 04 00–20, fax 236 19 37–39
www.mandarin-oriental.com
Sky Train: station Saphan Taksin
afspraak en kosten: ma.-do. 9–12 uur, 4500 baht voor regular class, 5700 baht voor special class

De gasten van het **Thai House** worden vanuit Bangkok in een boot door een wirwar van kanalen naar Nonthaburi 22 km ten westen van de stad gebracht. Bij meerdaagse cursussen overnacht u in een traditioneel Thais huis van teakhout.
The Thai House, 32/4 Moo 8, Tambol, Bang Muang, Bang Yai, Nonthaburi
tel. 029 03 96 11, fax 029 03 93 54
pip_thaihouse@hotmail.com, www.thaihouse.com.th
kosten: 3950 baht (eendaagse cursus), 19 500 baht (driedaagse cursus met twee overnachtingen in 2 pk)

Verdere informatie op internet: **www.tourismthailand.org**
Op deze site vindt u een ruime keuze aan cursussen op kookscholen en in hotels met korte omschrijvingen van het programma.

Bussaracum (G 8)

Sethiwan Bldg., 139 Thanon Pan
Bangrak
tel. 266 63 12
dag. 11–14, 17–22.30 uur
Sky Train: station Chong Nonsi, dan taxi of tuk-tuk
menu: 800–1000 baht

Dit restaurant was het allereerste restaurant in de *Royal Thai cuisine*. In de jaren tachtig opgericht door enkele van de beste fijnproevers van Bangkok. Het stijlvolle interieur past hier naadloos bij de geraffineerde bereiding van de gerechten, die een traditioneel karakter hebben. Chef-kok Supachai Phinyawattana werkt uitsluitend met de allerbeste, verse ingrediënten. Het geheim van zijn menu's gaat schuil in de compositie en de presentatie van de gerechten. In de wijnkelder liggen enkele van de lekkerste wijnen van de stad. Reservering en elegante kleding gewenst!

Ruen Mallika (M 6/7)

189 Soi 22, Thanon Sukhumvit
Khlong Toey
tel. 663 32 11 of 663 32 12
dag. 11–22 uur
Sky Train: station Phrom Phong, dan taxi of tuk-tuk
menu: 600–800 baht

Uit de potten en pannen die vriendelijke kelners in een Siamees huis of onder mangobomen in de tuin serveren, ruikt het naar koriander en citroenblad. De eigenares en chef-kok Mallika Leeraphante beheerst de kunst om traditionele Thaise gerechten te verfijnen met een harmonieuze mix van specerijen. De specialiteit van het in teakhout stijlvol ingerichte huis, *chan chü busaba* ('mijn naam is Busaba') is echter een traditioneel gerecht van de *Royal Thai cuisine* – knapperig gebraden rozen, *bougainville* en andere bloemen, alles vers uit eigen tuin.

Op de kookcursus leert u ook hoe u fruit aantrekkelijk opdient

Supatra River House (C 5)

266 Soi Wat Rakhang
Thanon Arun Amarin, Sirirat
Bangkok Noi, Thonburi
tel. 411 03 05
dag. 11.30–14.30, 18–23 uur
boot van het restaurant vanaf Maharat Ferry Pier
menu: 700–800 baht

Wie een beetje thuisgeraakt is in de fascinerende wereld van de kruiden en geuren van de Thaise keuken, zal van dit restaurant, dat in een prachtig oud houten Thais huis aan de Thonburi-zijde van de Mae Nam Chao Phraya ligt, zeer onder de indruk zijn. Onder het genot van uitzicht tot de Wat Arun serveert men hier klassiek Thaise gerechten, hoofdzakelijk visgerechten, die gecombineerd worden met Europese en Australische wijnen van de beste chateaus. Op vrijdag- en zaterdagavond wordt uw maaltijd begeleid door Thaise dansen.

The Old Siam (M 6)

4/6 Soi 23, Thanon Sukhumvit
Sukhumvit
tel. 259 56 73
dag. 11–23 uur
Sky Train: station Asoke
menu: 300–400 baht

Voor niet-ingewijden is de ellenlange menukaart van dit met donker teakhout aangeklede en met veel antiek ingerichte restaurant wellicht een beetje verwarrend. Om een indruk van het aanbod te krijgen, kunt u wellicht het beste het *menu de dégustation* proberen. U eet hier zittend op kussens en aan lage tafels, maar voor *farangs* zijn er ook gewone tafels en stoelen.

Buffetlunch voor fijnproevers

Verschillende hotels in de luxere categorie bieden voor een totaalprijs van 300 tot 500 baht buffetlunches aan, waarbij u zoveel mag eten als u wilt. Naast Thaise gerechten zijn er meestal ook Chinese, Japanse en Europese specialiteiten. Meer informatie vindt u in het advertentiegedeelte van de Engelstalige dagbladen.

Zeebanket

Baan Klang Nam (ten zuidoosten van F 8)

3792/106 Soi 14, Thanon Rama 3
Bangkhlo
tel. 292 01 75
dag. 11–23 uur
expresboot tot Wat Ratsingkhon Ferry Pier, dan taxi of tuk-tuk
menu: 300–400 baht
Het 'huis op het water', een houten gebouw op palen, ligt ten zuiden van de Krung-Thep-brug. Naast de *couleur locale* biedt het een prachtig uitzicht op de havenmond en de skyline van Bangkok. De inrichting is sober, maar de hier in een open keuken bereide Thaise gerechten, vooral overheerlijk *seafood*, zijn kostelijk.

Kaloang Home Kitchen (D 1)

2 Thanon Sri Ayutthaya, Thewet
tel. 281 92 28
dag. 11–22 uur
expresboot tot Thewet Ferry Pier
menu: 300–400 baht
In dit eenvoudige terras-restaurant aan de Mae Nam Chao Phraya zit u op plastic stoelen en aan formica tafels, maar de visschotels zijn minstens even smakelijk als in veel deftige restaurants, en bovendien behoorlijk goedkoper. De vis is werkelijk vers, hij komt namelijk vanuit het water zo in de pan terecht – verser kan het niet. Proef vooral eens de *pla sam-leh mamuang*, een soort karper met een pikante salade van groene mango's.

Khunying (ten oosten van M 6)

55 Soi 63, Thanon Sukhumvit
Sukhumvit
tel. 391 57 69
dag. 11–23 uur
Sky Train: station Ekamai, dan taxi of tuk-tuk
menu: 400–600 baht
Alles wat de zee aan eetbaars biedt, wordt hier creatief bereid. Een vangst op zichzelf is de *gung ob sapparod* – met kokosmelk gebakken garnalen in combinatie met ananasblokjes en Thaise kruiden.

Kung Luang (B 2)

1756 Thanon Pin Klao-Nakhornchaisi
Bangkok Noi, Thonburi
tel. 423 07 48
dag. 11–23 uur
AC-bus: 3, 7, 11, 17
menu: 400–600 baht
Dit restaurant ligt niet in de loop van de toeristen, maar is al jaren een bedevaartsoord voor liefhebbers van visgerechten. Een geheim is er niet, men serveert doodgewoon verse vis en schaaldieren tegen redelijke prijzen. Een aanrader is de *tom yam taleruam* – een zure, scherpe soep met vis, garnalen en mosselen.

Seafood Market (ten oosten van M 7)

89 Soi 24, Thanon Sukhumvit
Khlong Toey

tel. 261 20 71 of 261 20 72
dag. 11–24 uur
Sky Train: station Phrom Phong, dan taxi of tuk-tuk
menu: 600–800 baht
Voor liefhebbers van zeebanket een waar feest voor oog en mond. Tientallen koks braden, bakken en grillen. De gasten kiezen uit een groot aanbod van op ijs gelegen vis en andere ingrediënten. Bij het betalen maakt u uw kookwensen kenbaar.

Hoogtepunt

Seafood Palace (L 6)

348 Thanon Sukhumvit, Asoke Square
Sukhumvit
tel. 653 11 45–8
www.seafoodpalace.com
dag. 11–1 uur
Sky Train: station Asoke
menu: 1000–1200 baht
In dit elegante restaurant kunt u kiezen uit een overweldigend aanbod aan verse vis. De kreeften, krabben en andere vissoorten liggen verleidelijk op ijs uitgestald. U begint met uitkiezen van uw hoofdgerecht, en vervolgens mag u zelf bepalen hoe dat bereid wordt. Van 20–22.15 uur worden traditionele Thaise maskerdansen opgevoerd.

Wereldkeuken

Anna's Café (J 7)

114 Soi Sala Daeng, Thanon Silom
Bangrak
tel. 632 06 20
dag. 11–22 uur
Sky Train: station Sala Daeng
maaltijd 100–200 baht
In deze naar Miss Anna Leonowens uit de controversiële film 'The King and I' genoemde bistro komen de yuppies van Bangkok graag lunchen. De basis wordt gevormd door de Thaise keuken, maar er is een duidelijk mediterraan accent herkenbaar.

Bali (K 6)

15/3 Soi Ruam Rudi, Thanon Ploenchit
Pathumwan
tel. 250 07 11
ma.-za. 11–22, zo. 17–22 uur
Sky Train: station Ploenchit, dan taxi of tuk-tuk
maaltijd 100–200 baht
Dit is een prima adres voor wie graag Aziatisch eet en zijn door de vele scherpe gerechten geteisterde smaakpapillen even rust wil gunnen. De wat zoete gerechten in dit Indonesische restaurant zijn redelijk mild. Een aanrader is de *gado-gado*, een schotel met geblancheerde, met pindasaus overgoten groenten, die koud wordt gegeten.

Krua Khun Kho (K 7)

Soi Sawansawat, Rama IV road
Sathorn
tel. 818 43 97
eerste do. van de maand
Sky Train: station Sala Daeng, dan taxi of tuk-tuk
maaltijd 100–200 baht
Wie na al die gefrituurde varkensoortjes en andere buitenissigheden wel eens een echte Hollandse nieuwe of een bitterbal wil eten, kan elke eerste do. van de maand terecht in dit restaurant. Dan wordt een Hollandse avond gehouden, waarvoor deze 'specialiteiten' speciaal worden geïmporteerd.

Bourbon Street (M 6)

29/4–6 Washington Square, Soi 22
Thanon Sukhumvit, Sukhumvit
tel. 259 03 28 of 259 03 29
dag. 7–1 uur

Sky Train: station Phrom Phong
maaltijd: 150–250 baht
Een in de Creoolse keuken gespecialiseerd restaurant waar u een culinaire reis door het Caribische gebied kunt maken. Elke dinsdag wordt een voordelig Mexicaans buffet aangeboden.

Café de Laos (G 8)
16 Soi 19, Thanon Silom, Bangrak
tel. 635 23 38
dag. 11–14, 17–22 uur
AC-bus: 2, 4, 5, 15
menu: 200–400 baht
De rustieke sfeer in dit houten etablissement komt overeen met de *ahaan bääp chaao baan* – eten zoals men dat op het platteland van Laos en in het noordoosten van Thailand doet. Een must is *somtam*, ook wel *papaya pok pok* genoemd, een salade van papaja, knoflook en pepertjes met vissaus en garnalenpasta.

Fabb (J 5)
Mercury Tower, begane grond
Thanon Ploenchit, Pathumwan
tel. 658 62 00–2
www.fabbcafe.com
dag. 11–14, 17–23 uur
Sky Train: station Chit Lom
maaltijd 150–250 baht
Tweede vaderland van Italiaanse fijnproevers die houden van de luchtige ambiance en de royale porties dampende pasta en houtovenpizza's. Tijdens de lunch en het diner spelen jazzbands.

Himali Cha Cha (F 7)
Soi 47/1, Thanon Charoen Krung
Bangrak
tel. 235 15 69
dag. 11–15.30, 18–22.30 uur
AC-bus: 2, 4, 5, 15
menu: 200–400 baht
Dit is een van de bekendste Indiase restaurants van de stad. Het werd ooit opgezet door Khun Cha Cha, die twintig jaar lang voor Indiase ambassades over de hele wereld kookte, en door de Australische fotograaf John Everingham. Verrukkelijk zijn de lamsbout, kip uit de *tandoori*-oven en de Bengaalse viskerrie.

Inaho (J 5)
57/32–33 Thanon Ploenchit
Pathumwan
tel. 252 86 38
dag. 11–14, 17–22 uur
Sky Train: station Ploenchit
menu: 850–1150 baht
Japanse haute cuisine in een zeer elegante ambiance. De drie-sterrenkok Nobu Matsuhisa tovert achter de sushibar en serveert visgerechten die ook de talrijke Japanse zakenlieden goed smaken.

Le Dalat (M 5/6)
47/1 Soi 23, Thanon Sukhumvit
Sukhumvit
tel. 258 41 92
dag. 11–23 uur
Sky Train: station Asoke
maaltijd 100–200 baht
In dit bistro-restaurant waant u zich in Saigon. Volgens de mening van de kenners het beste Vietnamese eten van de stad.

Mrs. Balbir's (L 5)
155/18 Soi 11, Thanon Sukhumvit
Sukhumvit
tel. 651 04 98
di.-zo. 12–22.30 uur
Sky Train: station Nana
maaltijd 100–300 baht
Gezellig Indisch restaurant met beneden slechts zeven tafels, boven zit u *indian style* – op kussens aan lage tafels.

Probeert u eens *chicken tikka masala* (gegrillde kipfilet in kokosmelk) en *alu gobi* (aardappel-bloemkoolkerrie).

Privilege (K 5)

tussen Soi 2 en Soi 4
Thanon Sukhumvit, Sukhumvit
tel. 656 46 06
dag. 11–2 uur
Sky Train: station Nana
menu: 600–800 baht
In dit *no hand*-restaurant genieten gefortuneerde gasten een heel bijzonder privilege – ze worden door charmante gastvrouwen hapje voor hapje gevoerd. Wie het leuk vindt...

Zanzibar (L 5)

Soi 11, Thanon Sukhumvit
Sukhumvit
tel. 651 29 00
dag. 11–14.30, 18–23 uur
Sky Train: station Nana
menu: 600–800 baht
Voornaam Italiaans restaurant in een mooi gerestaureerde stadsvilla. Het sobere interieur straalt een koele elegantie uit. Om het zo te laten smaken als thuis, laat de Venetiaanse chef-kok menig ingrediënt overvliegen uit Italië.

Buiten zitten

Maenam Terrace (F 8)

Shangri-La Hotel, 89 Soi Wat Suan Plu
Thanon Charoen Krung, Bangrak
tel. 236 77 77
dag. 11.30–14.30, 19–22.30 uur
Sky Train: station Saphan Taksin
menu: 1000–1200 baht
In dit prachtige terras-restaurant klopt alles – de sfeer is aangenaam, de bediening attent, en u hebt bovendien een fantastisch uitzicht op de nooit aflatende drukte op de Mae Nam Chao Phraya. En dan is er natuurlijk ook nog de ruime keuze aan lekkere Thaise en internationale gerechten.

Royal Dragon (ten oosten van M 6)

35/122 Gp 4 Bangna-Trad
Phra Khanong
tel. 398 00 37
dag. 11–23 uur
AC-bus: 1, 2, 8, 11, 13, 38
menu: 300–400 baht
In dit grote tuinrestaurant in het oosten van de stad serveren kelners op rolschaatsen Thaise gerechten uit alle streken van het land. Tussen 20 en 21 uur is er traditionele Thaise dans te zien. Tijdig reserveren.

Dinner with a view

Bangkok Sky Restaurant (J 3)

Baiyoke Sky Hotel, 222 Thanon Ratchaprarop, Pratunam
tel. 656 30 00
dag. 11–14, 18–22 uur
AC-bus: 13, 15, 38, 139, 140
menu: 600–800 baht
Op de 78e verdieping van het Baiyoke Sky Hotel dineert u op grote hoogte. U kunt hier genieten van een uniek uitzicht over de stad. Zowel 's middags als 's avonds zorgen weelderige, exclusieve buffetten met tal van Aziatische en Europese lekkernijen ook voor culinair genot. Na 22 uur verandert het restaurant in een cocktaillounge met live muziek.

Wan Fah (E 6)

292 Ratchawong Ferry Pier, Thanon Ratchawong, Samphan Thawong
tel. 622 76 57–61
www.wanfah.com
dag. 19–21, 21–23 uur

AC-bus: 2, 4, 5, 15
expresboot tot Ratchawong Ferry Pier
menu: 800–1000 baht
Twee keer per avond vaart de tot een luxueus restaurant omgebouwde rijstbark 'Wan Fah' uit voor een rondvaart met diner op de Mae Nam Chao Phraya. De gasten genieten van een fantastisch uitzicht op de verlichte Wat Arun en het Royal Grand Palace. Bij klassieke Thaise muziek worden Thaise specialiteiten, vooral vis, schelp- en schaaldieren, opgediend.

Exotische delicatessen

Gefrituurde sprinkhanen, vetbruin geroosterde kevers aan de spies, gemarineerde rauwe kippenpoten, gegrilde kwartelkopjes, gebraden termieten, soep met miereneieren – de Thaise keuken kan soms zelfs de meest ervaren fijnproevers verrassen. In kiosken en op de markt verkoopt men allerlei eiwitrijke kevers, larven en maden of geroosterde schorpioen als tussendoortje.
Tot de exotische snacks worden verder gegrilde mol, zijderups en levend gegeten krab gerekend, of waterkevers die op kakkerlakken lijken en vooral vanwege de vulling met heerlijke eieren zeer gewild zijn. Een spreekwoord zegt dat de Thai alles eten wat loopt, kruipt, scharrelt, vliegt, zwemt, kronkelt...
Zulke exotische delicatessen kunt u bijvoorbeeld proeven op de Chatuchak Weekend Market en de Khlong Toey Market (zie blz. 61).

Dinner with a show

Sala Rim Naam (F 7)

The Oriental, 48 Oriental Ave.
Bangrak
tel. 236 04 00–20
dag. 19–23 uur
expresboot tot Oriental Ferry Pier
menu: 1200–1400 baht
Van de aanlegsteiger Oriental wordt u gratis per shuttleboot overgezet naar dit op een tempel lijkende restaurant aan de Thonburi-oever van de Mae Nam Chao Phraya. Vanaf 20.30 uur wordt u tijdens een Thais buffet vergast op traditionele maskerdansen en zwaardgevechten. Zowel het eten als de show zijn van topkwaliteit. De rekening brengt u weer terug in de realiteit. Reserveert u vroeg!

Sala Thai (J 4)

Indra Regent Hotel, Thanon Ratchaprarop, Pratunam
tel. 208 00 22
dag. 19–22 uur
AC-bus: 13, 15, 38, 139, 140
menu: 650 baht
In het 'barokke' Royal Thai Pavillon worden elke avond vanaf 20.30 uur ter omlijsting van het diner Thaise muziek en klassieke dans opgevoerd.

Silom Village (F/G 7)

286 Thanon Silom, Bangrak
tel. 234 45 81
www.silomvillage.co.th
dag. 10–23 uur
AC-bus: 2, 4, 5, 15
menu: 500 baht
Op traditionele wijze van teakhout gebouwde en door veel kunstnijverheidswinkels omringd restaurant. Al jaren een zeer betrouwbaar adres voor Thaise maaltijden. Elke avond is er op het toneel traditionele *lakon*-dans te zien.

Wie op straat eet, mist niets

Vegetarisch

Khun Churn (H 7)

Saeng Arun Ashram, Soi 10
Thanon Sathorn Nua, Sathorn
tel. 236 94 10
dag. 9.30–14.30, 16.30–20.30 uur
Sky Train: station Chong Nonsi, dan taxi of tuk-tuk
menu: 200–400 baht
Dit sobere restaurant op de begane grond van een *ashram*, waar u ook terecht kunt voor yoga-, massage- en meditatiecursussen is als een groene oase in hartje Bangkok. Eigenares en chef-kok Churnjuti Montienmanee Sathirasarind, een in het hele land bekende televisiester, verrast u met veelzijdig en fantasievol bereide vegetarische gerechten. Wie buiten wil eten, vindt een prachtige tuin met daarin houten tafels – en 's avonds helaas ook erg veel steekmuggen. Maar Khun Churnjuti verzekert: 'We proberen ze het bloedzuigen af te leren en ze vegetarisch te maken.'

The Whole Earth

(ten oosten van M 7)
71 Soi 26, Thanon Sukhumvit
Khlong Toey
tel. 258 49 00
dag. 11.30–14, 17.30–22.30 uur
Sky Train: station Phrom Phong, dan taxi of tuk-tuk
menu: 200–400 baht
Dit restaurant is onder de yuppies van Bangkok een erg populaire ontmoetingsplaats. De kaart biedt, naast tal van vlees- en visschotels, een zeer ruime keuze aan uitstekende vegetarische gerechten. Het restaurant is op culinair gebied al meer dan twintig jaar een instituut in Bangkok.

Winkelen

Ook voor de jongsten een paradijs: Chinatown

Antiek

Kunsthistorici en deskundigen van de politie schatten dat minstens driekwart van wat er in de winkels van Bangkok als antiek wordt aangeboden, imitatie is. Er zijn echter nog genoeg serieuze winkels. Zij leveren echtheidscertificaten en zorgen voor de voor de uitvoer van antiek benodigde vergunningen van het Department of Fine Arts. U vindt ze in de winkelpassages van de grote hotels, in de omgeving van het Oriental en het Shangri-La Hotel en in enkele winkelcentra zoals het River City Shopping Complex.

Art and Antique Center (F 6/7)

River City Shopping Complex
23 Thanon Yotha, Samphan Thawong
AC-bus: 2, 4, 5, 15
Dit grootste in- en verkoopcentrum voor kunst en antiek van het land met zo'n vijf dozijn winkels blinkt uit in een enorme keuze aan schilderijen, bronzen beelden, jade, porselein, lakwerk, keramiek, houtsnijwerk en sieraden en allerlei kunst uit Thailand, China, Birma, Laos, Cambodja en Vietnam. De handelaren spreken goed Engels en helpen bij het versturen. Op elke eerste zaterdag van de maand vindt op de vierde verdieping om 13.30 uur een kunstveiling plaats.

Bae Teck Huat (E 5)

286–288 Soi Nakhon Kasem
Thanon Charoen Krung, Chinatown
AC-bus: 1, 7
Goed verstopte in de buurt van de Nakhon Kasem Market gelegen winkel met Chinees porselein en oude Thaise keramiek. De hulpvaardige eigenaar spreekt goed Engels.

Peng Seng (H 6/7)

Thanon Rama IV / Thanon Surawong
Bangrak
Sky Train: station Sala Daeng
In deze winkel vindt u een uitgelezen aanbod aan stenen beeldjes, houtsnijwerk en terracotta kunstnijverheid, maar ook veel zijde en ander textiel. Men verzorgt voor de klanten ook alles rondom de verzending.

Silom Galleria (F 7/8)

Thanon Silom / Thanon Surasak, Bangrak
AC-bus: 2, 4, 5, 15
Elegant winkelcentrum met tientallen winkels voor kunst en antiek, sieraden en zijde.

Boeken

Asia Books (L 5)

tussen Soi 15 en 17
Thanon Sukhumvit, Sukhumvit

Sky Train: station Asoke
Hier kunt u terecht voor een ruim aanbod aan Engelstalige romans, pockets, reisgidsen, fotoboeken en tijdschriften. Deze keten heeft ook winkels in het World Trade Center, Thanon Rama I / Thanon Ratchadamri, Pathumwan, de Soi Thaniya, Thanon Silom, Bangrak en in het Siam Discovery Center, Siam Square, Pathumwan.

Bookazine (H 6/7)

CP Tower, begane grond
Thanon Patpong, Bangrak
Sky Train: station Sala Daeng
Uitgebreid assortiment aan boeken in buitenlandse talen, prentenboeken, tijdschriften en periodieken. Boeken over Bangkok, Thailand en de Thaise cultuur.

White Lotus (ten oosten van M 7)

Soi 58, Thanon Sukhumvit, Khlong Toey
ma.-vr. 9–19, za. 9–13 uur
Sky Train: station On Nut, dan taxi of de tuk-tuk
Dit antiquariaat is een eldorado voor bibliofielen, die hier een grote keus hebben uit wetenschappelijke boeken en literatuur over Thailand en Zuidoost-Azië, in verschillende talen.

Computers

Pantip Plaza (J 4)

147 Thanon Petchaburi, Pratunam
AC-bus: 13, 15, 38, 139, 140
Een waar Mekka voor computerfreaks, die hier op vijf verdiepingen hard- en software, maar ook computerspelletjes tegen uitverkoopsprijs vinden. De lage prijzen wijzen vaak in de richting van ongeoorloofde kopieën van merkartikelen.

Goud, edelstenen en sieraden

De meeste goudzaken zijn in Chinatown, met name in de Thanon Yaowarat, de Thanon Charoen Krung en in het lagere gedeelte van de Thanon Silom. Een andere *golden mile* bevindt zich in het onderste gedeelte van de Thanon Silom. Hier worden 24-karaats gouden sieraden naar gewicht verkocht. De eenheid die gebruikt wordt bij het wegen moet niet worden verward met de nationale betaaleenheid, de baht. Omdat de prijs van de baht afhankelijk is van de goudkoers, zijn schommelingen aan de orde van de dag.
Bangkok geldt als een van de wereldcentra voor de handel in edelstenen. Met name op het gebied van sieraden met robijn en jade is Bangkok een waar paradijs. Omdat toeristen maar al te

Teruggave van belasting

Thailand is een van de weinige landen die de BTW (nu 7%) op de vakantie-inkopen teruggeeft aan de toeristen. Aan deze belastingteruggave zijn echter wel een aantal voorwaarden verbonden:
Het moet om een totaalbedrag van minstens 5000 baht gaan;
elke ingediende rekening bedraagt minstens 2000 baht;
de inkopen zijn gedaan in een winkel met een bord waarop staat 'VAT-Refund-for-Tourists';
u moet twee door de winkel ingevulde *refund*-formulieren per nota overhandigen. De teruggave geschiedt aan de *refund*-balies in de vertrekhal van de internationale luchthavens.

Etikettenzwendel

Een Rolex, Cartier, Breitling, Patek Philippe voor € 25? Op de 'bazar van de vervalsingen' in de Patpong is het geen enkel probleem om een horloge van deze 'merken' voor deze prijs te krijgen. De imitaties onderscheiden zich nauwelijks van de originelen die vijftig tot honderd keer duurder zijn. De vervalsers maken niet alleen horloges na, ze imiteren ook Levi's jeans, polo's van Ralph Lauren, Benetton T-shirts, Camel-Adventure-wear, mode van Armani, schoenen van Tino Lanzi, koffers van Louis Vuitton en computerprogramma's van Microsoft. De koopjesjacht naar geïmiteerde merkartikelen is al jaren net zo'n toeristenattractie van Bangkok als een tempelbezoek en het nachtleven. De gedupeerde bedrijven zijn echter inmiddels de strijd tegen de vervalsers aangegaan. De douane in ons land is verplicht imitaties in te nemen. Ook wie boeddhabeeldjes mee wil nemen kan voor een onaangename verrassing komen te staan. Echt of namaak, het uitvoeren van heilige voorwerpen is verboden voor niet-boeddhisten. Daarnaast krijgt u problemen met de douane als u slangenhuid wilt meenemen, zelfs als u kunt aantonen dat die uit een reptielenboerderij komt.

vaak inferieure spullen in de maag gesplitst krijgen, kunnen leken het beste naar een winkel met een goede reputatie gaan. Een lijst met betrouwbare handelaren is verkrijgbaar bij de Jewel Fest Club, die instaat voor de kwaliteit van hier gekochte edelstenen (tel. 235 30 39, fax 235 30 40). Juweliers die aangesloten zijn bij deze organisatie zijn aan het logo te herkennen.

Hua Seng Heng (E 5)

401–407 Thanon Yaowarat, Chinatown
AC-bus: 1, 7
expresboot tot aan Ratchawongse Ferry Pier
Meer dan 50 jaar in Chinatown gevestigde goudhandel met goede reputatie.

Rama Jewelry (F 7/8)

Thanon Silom / Thanon Surasak, Bangrak
www.ramajewelry.com
AC-bus: 2, 4, 5, 15
Deze juwelierswinkel heeft een goede naam onder de in Bangkok wonende *farangs*. Hier biedt men kwaliteit voor redelijke prijzen, en bovendien maakt men sieraden naar smaak. In het Asian Institute of Gemmological Science, dat in hetzelfde gebouw is gehuisvest, onderzoeken deskundigen edelstenen en geven echtheidscertificaten af.

Warenhuizen

Aan lawaai, uitlaatgassen en hitte ontkomt u niet bij een wandeling door de moderne consumptietempel in het onderste gedeelte van Thanon Sukhumvit, Ploenchit en Silom. Vele winkelcentra, waarin zich meestal ook restaurants en bioscopen bevinden, zijn volgens het *shop-in-shop*-systeem opgebouwd.

Central (J/K 5)

Soi Chit Lom, Thanon Ploenchit
Pathumwan
Sky Train: station Chit Lom
Dit filiaal van de grootste winkelketen in Thailand biedt een enorm aanbod aan kunstnijverheid.

Emporium (M 6)

Soi 24, Thanon Sukhumvit
Khlong Toey
Sky Train: station Phrom Phong
In dit exclusieve consumptiepaleis, een droom voor winkelverslaafden, is werkelijk alles te koop: aparte merkartikelen van Chanel, Gucci en Prada evenals modeontwerpen van Christian Dior, Salvatore Ferragamo, Versace, Louis Vuitton en andere internationale grootheden. Ook verkrijgbaar: heel grote ogen, als je elegante dames bij het uitgeven van geld bekijkt.

Fashion Island (ten noorden van M 1)

5/5–6 Moo 5, Thanon Ram Inthra
Bangkhen
met het openbaar vervoer moeilijk bereikbaar
'Winkelen tot je erbij neervalt' is het devies in dit reusachtige warenhuis, waarin filialen ondergebracht zijn van de grote ketens Central en Robinson. In kleinere boetieks is vaak geïmiteerde designmode tegen kleine prijsjes verkrijgbaar. De kinderen vinden het Mini-Disneyland Magic Island helemaal geweldig.

Mah Boon Krong (H 5)

444 Thanon Phayathai, Pathumwan
Sky Train: station National Stadium
Een van de grootste winkelcentra in Bangkok. Thaise tieners beoefenen hier in het weekend een van hun populairste hobby's: uitgebreid winkelen. Goedkoop zijn vooral jeans en T-shirts. Bovendien is hier een enorme keus aan mobiele telefoons en accessoires. Op de vijfde verdieping kan men snel en goedkoop visitekaartjes laten maken. Shoppers met een goed gevulde portemonnee gaan naar het naburige Tokyu Department Store.

Old Siam Plaza (D 5)

Thanon Pahurat / Thanon Tri Phet
Pahurat
AC-bus: 1, 7, 8
Het winkelcentrum met historische flair, voortgekomen uit de voormalige Ming-Muang-markt biedt nostalgisch winkelplezier. Klein en overzichtelijk, met een overdekte markthal, doet het prettig ouderwets aan. Uitstekende levensmiddelen.

River City Shopping Complex (F 6/7)

23 Thanon Yotha, Samphan Thawong
AC-bus: 2, 4, 5, 15
Shoppen in het consumptiepaleis met airco naast het Royal Orchid Sheraton lijkt een reis door de het land van overvloed. Hier wedijveren elegante boetieks, dure juweliers en uitgelezen kunstgalerieën om de gunst van de klant.

Siam Discovery Center (H 5)

Thanon Rama I, Pathumwan
Sky Train: station Siam Square
De naam wekt de indruk alsof het complex iets met wetenschap en onderzoek te maken heeft. Het betreft echter een modern winkelcentrum. Te 'ontdekken' zijn op meerdere etages elegante boetieks van kwaliteitsmerken als Armani, Dior, Gucci, Versace en co. Op de vierde verdieping zit het Doi Tung Development Project, een initiatief van de koninklijke familie ter bevordering van Thaise kunstnijverheid. Aangeboden worden o.a. elegante mode, sarongs, dekens, kussenomtrekken van katoen en zijde.

World Trade Center (J 5)

Thanon Rama I / Thanon Ratchadamri
Pathumwan
Sky Train: station Chit Lom

Geurige bloemenguirlandes zijn op elke markt te koop

Dit chique winkelcentrum is alleen leuk voor bezitters van een gouden creditcard. Hier kan men voor veel geld originele merkkleding kopen, waarvan de kopieën een paar honderd meter verderop, op de Pratunam-Markt, een paar honderd baht kosten.

Mode

Confectiemode is alleen verkrijgbaar voor dames tot kledingmaat 38 en voor heren tot maat 52. Op maat gemaakte dames- en herenkleding is in Bangkok duidelijk goedkoper dan in West-Europa. Aan de Thanon Sukhumvit, de Thanon Silom en in de winkelgalerijen van veel grotere hotels hebben Indiase textielbewerkers, die allemaal uitstekend Engels spreken, hun modeateliers. Wie een patroon of een afbeelding uit een tijdschrift laat zien van een kledingstuk dat hij of zij wil hebben, kan het gewenste artikel vaak binnen 24 uur afhalen. U moet zich wel realiseren dat zelfs in het goedkope Bangkok voor kwaliteit betaald dient te worden. Ga dus niet in op exorbitant goedkope aanbiedingen, hoe aantrekkelijk die ook lijken. Bij een goede kleermaker zijn meerdere pasrondes noodzakelijk. Coupeurs van kwaliteit bevinden zich in het River City Shopping Complex en in de straatjes rond het Oriental en het Shangri-La Hotel.

Narry's Boutique (L 5)

155/22 Soi 11, Thanon Sukhumvit
Sukhumvit
tel. 254 91 84
www.narry.com
Sky Train: station Nana

In deze kleermakerij wordt de kleding niet meteen gestikt. Het duurt een paar dagen voor de bestelde maatkleding klaar is; er moet dan ook nog wat gepast worden. Avondkleding van zijde vanaf 5000 baht. Men verzendt textiel over de hele wereld.

Paul's Fashion (L 5)

Thanon Sukhumvit (tussen Soi 5 en 7)
Sukhumvit
tel. 252 61 27
Sky Train: station Nana
Elegante zaak voor dames en heren tegenover de Landmark Plaza met goede sortering aan stoffen, die zorgvuldig

op maat gesneden en volgens afspraak geleverd worden. Zijden blouses op maat vanaf 2000 baht, zijden rokken vanaf 3000 baht, herenkostuums vanaf 6000 baht.

Smart Fashion (L 5)

1/10–11 Soi 11, Thanon Sukhumvit
Sukhumvit
tel. 255 45 16
Sky Train: station Nana
Kleermaker met goede reputatie en uitgebreid assortiment, veelvuldig bezocht door de buitenlanders in deze wijk. Gratis afhaalservice vanaf het hotel bij het aanpassen.

Cadeaus

Chitralada Shop (F 7)

The Oriental, 48 Oriental Ave.
Bangrak
Sky Train: station Saphan Taksin
Hier koopt u mooie kunstnijverheid tegen gepeperde prijzen, gemaakt in het Royal Folk Arts en Craft Center in Bang Sai. De koningin is beschermvrouwe van de opleiding van deze kunstenaars.

Montien Plaza (H 7)

50 Thanon Surawong, Bangrak
Sky Train: station Sala Daeng
In dit elegante winkelcentrum, met over

Afdingen, hoe doe je dat?

Ook al brengen de lage prijzen in de winkelstraten van Bangkok de Europeaan menigmaal in vervoering, altijd geldt het devies 'niet meteen toehappen, eerst afdingen'! Alleen de grotere warenhuizen en dure speciaalzaken werken met vastgestelde prijzen, maar zelfs daar krijgt u vaak korting, u moet er echter ook hier wel zelf naar vragen.
De vuistregel luidt: u noemt een bedrag van ongeveer 50% onder dat van de verkoper en u komt uit op tweederde van het eerste bod. Een goed tijdstip voor afdingen is de vroege ochtend. In Thailand zien veel handelaren het afsluiten van het eerste handeltje als een goed voorteken voor de verdere handel van die dag. Maar u moet niet om de laatste baht blijven sjacheren, want iemand die een lagere prijs bedingt dan zijn sociale positie rechtvaardigt, verzaakt de plicht van een hogergeplaatste om arme mensen te helpen.

twee verdiepingen verspreid tal van chique winkels, kunt u terecht voor een ruim aanbod aan Thaise kunstnijverheid. In het assortiment zitten zilverwerk, lederwaren, kleine meubels, houtsnijwerk, stoffen en zijden kleding. Desgewenst verpakt men de door u gekochte spullen en verscheept men ze naar uw thuisland. Na een lange dag winkelen kunt u op de derde verdieping van het winkelcentrum heerlijk ontspannen door een traditionele Thaise massage te ondergaan.

Narayand Phand (J 5)

Thanon Ratchadamri, Pathumwan
Sky Train: station Chit Lom
Het aanbod van dit grote winkelcentrum beslaat het hele spectrum van de Thaise kunstnijverheid: van prachtige zijde, fijn bronzen, messing en tinnen handwerk en gouden en zilveren sieraden tot lakdoosjes, lampen van paarlemoer, houtsnijwerk en geweven doeken. De reputatie van het centrum is in overeenstemming met het enorme aanbod.

Silom Village (G 7)

286 Thanon Silom, Bangrak
dag. 10–22 uur
www.silomvillage.co.th
AC-bus: 2, 4, 5, 15
In dit uitgestrekte, in een traditioneel teakhouten gebouw gevestigde complex kunt u in diverse boetieks terecht voor degelijke kunstnijverheid, lederwaren, zijde en sieraden. Men hanteert vaak 'toeristenprijzen', dus probeer hier flink af te dingen! Zeker een blik waard is de winkel Oriental Treasures waar prachtige Thaise en Birmese lakdoosjes en borden te koop zijn. Zijde van goede kwaliteit uit Thailand, Laos en Cambodja vindt u in de boetiek Silom Thai Silk.

Suan-Lum Night Bazaar (K 7)

Thanon Rama IV / Thanon Witthayu Sathorn
dag. 12–24 uur
www.thainightbazaar.com
Sky Train: station Sala Daeng
Op deze toeristenmarkt met 3700 stands vindt u veel kunstnijverheid, van met de hand gevlochten manden tot sieraden en houtsnijwerk. De inwendige mens wordt ook niet vergeten, hiervoor zorgen talloze restaurants, bars en terrasjes.

Markten

Bobay Market (F 4)

Thanon Krung Kasem, Prap Phai
AC-bus: 2, 8, 13
Op deze grote markt, 1 km ten noorden van station Hua Lam-phong, treft u vooral veel textielhandelaren. De meeste artikelen worden alleen in grote hoeveelheden verkocht, maar tegen betaling van een beetje extra kunt u wel losse spullen krijgen. Voor minder dan € 2, 25 hebt u hier al een dozijn sportshirts.

Chatuchak Weekend Market (ten noorden van J 1)

Thanon Paholyothin (tegenover de Northern Bus Terminal), Chatuchak
za./zo. 6–18 uur
Sky Train: station Morchit
Bangkoks levendigste markt, met zo'n 5000 stalletjes, is een paradijs voor koopjesjagers. In dit doolhof is echt alles te koop en dat tegen onwijs lage prijzen. Pythons, vechtvissen, spookhuisjes, bonsaiboompjes, opiumpijpen en stokoude exemplaren van westerse tijdschriften, alles is hier te vinden. Bij de vele eetstalletjes serveert men gefrituurde sprinkhaan en spiesjes met kevers. Om de hele markt, die de grootste van Zuidoost-Azië zou zijn, te verkennen is een heel weekeinde niet genoeg. U kunt het beste 's ochtends komen, want later op de dag wordt het druk en warm.

Khlong Toey Market (L 8)

Thanon Rama IV / Thanon Ratchadaphisek, Khlong Toey
AC-bus: 7, 20
Op de markt waar Thaise huisvrouwen en restaurantkoks hun groente, fruit, vlees en vis kopen, zijn toeristen graag geziene gasten. Let wel op dat u niet ineens op de naburige Penang-markt belandt, want daar duikt vroeg of laat alles op dat eerder op mysterieuze wijze 'verdween' bij het uitladen van de boten, die de Khlong Toey-markt kwamen bevoorraden (het gaat hier vaak om televisies, radio's, cd-spelers en video's) . Er hangt ook heel wat duister volk rond!

Nakhon Kasem Market (E 5)

Thanon Charoen Krung, Chinatown
AC-bus: 1, 7
Deze markt heeft de weinig benijdenswaardige bijnaam 'dievenmarkt', hoewel er vooral illegaal geïmporteerde elektronische apparatuur en computerspelletjes te koop zijn. Alles is spotgoedkoop, maar garantie hoeft u hier niet te verwachten.

Pahurat Market (D 5)

Thanon Pahurat, Pahurat
AC-bus: 1, 7
zie Extra-route 4, blz. 114

2

Hoogtepunt

Phak Khlong Market (D 5)

Thanon Chak Phet, Pahurat
expresboot tot aanlegsteiger Saphan Phut Ferry Pier
In het holst van de nacht brengen barken enorme hoeveelheden groente en fruit van het platteland over de Mae Nam Chao Phraya naar deze markt in de buurt van Memorial Bridge. Hier vindt de levensmiddelenvoorziening van Bangkok plaats. Op de bijna duizend meter lange aanlegsteiger heerst tijdens het uitladen een onvoorstelbare chaos, terwijl bij de stalletjes de ananas, bananen, mango's, papaja's en andere levensmiddelen worden opgestapeld.

Patpong- en Silom-toeristen-bazars (H 7)

Thanon Patpong / Thanon Silom
Bangrak
dag. 17–24 uur
Sky Train: station Sala Daeng
Tegen het einde van de middag, als de ambulante handelaars hun stalletjes opzetten, lijken de Patpong en dit deel van de Thanon Silom net een enorme bouwput. Hier kunt u terecht voor imitatiemerkartikelen: textiel, lederwaren, mode, koffers, tassen, muziek- en videocassettes en horloges – vaak van mindere kwaliteit dan het origineel, maar wel altijd spotgoedkoop. 's Nachts wordt de handel voortgezet in de Thanon Sukhumvit. Voor u hier iets koopt, doet u er goed aan eerst een kijkje op de gewone markten te nemen, want daar zijn dezelfde artikelen vaak goedkoper – de straathandelaars betrekken hun spullen daar zelf namelijk ook.

Pratunam Market (J 4)

Thanon Ratchaprarop, Pratunam
dag. 9–22 uur
AC-bus: 13, 15, 38, 139, 140
Rond de twee Baiyoke-wolkenkrabbers en het Indra Regent Hotel zijn zelfs de trottoirs het domein van de handelaars, die er overwegend imitatiemerkartikelen verkopen. Op de enorme overdekte markt staan nog veel meer stalletjes, waar vooral veel textiel verhandeld

wordt. Het is leuk om u een weg te banen door het doolhof van gangen, maar let wel op de vele zakkenrollers.

Sampeng Lane (E 5)

Soi Wanit 1
tussen Thanon Chakrawat en Thanon Chak Phet, Chinatown
AC-bus: 1, 7
zie Extra-route 3, blz. 112

Soi Bank Market (H 7)

Thanon Silom, Bangrak
AC-bus: 2, 4, 5, 15
Op deze chaotische, bonte markt vlak bij de Bangkok Bank kopen werkneemsters van de omliggende kantoren de laatste mode.

Thewet Flower Market (D/E 2)

Thanon Luk Luang, Thewet
expresboot tot aanlegsteiger Thewet Ferry Pier
Alles wat groeit en bloeit, van planten uit het tropisch regenwoud tot orchideeën, vindt u op deze markt. Vrouwen verkopen ook gevlochten kransen van jasmijn, die geluk moeten brengen en daarom aan de spiegel van de auto of in geesthuisjes worden opgehangen. Lotusbloemen worden als offergave voor boeddhabeelden neergelegd. Aan de andere kant van de Khlong Phadung Krung Kasem bevindt zich een groente- en fruitmarkt.

Zijde

Bij het aanschaffen van kleding en stoffen van zijde, moet u er wel op letten dat er geen kunststof in de artikelen is verwerkt. De speciaalzaken rond de Thanon Silom, de Thanon Surawong en de Thanon Sukhumvit zijn over het algemeen betrouwbaar.

Design Thai (G 7)

304 Thanon Silom, Bangrak
AC-bus: 2, 4, 5, 15
Zijde, kleding en accessoires van zijde. Deze zaak biedt een prima kwaliteit voor redelijke prijzen.

Jim Thompson Thai Silk (H 6/7)

9 Thanon Surawong, Bangrak
Sky Train: station Sala Daeng
Vanuit deze gerenommeerde zaak begon de zijde aan een glorietocht over de hele wereld. Alles, van zakdoek tot maatpak.

Op de markt is altijd tijd voor een praatje, ook in Chinatown

Uitgaan

Beroemd en berucht: de Patpong

Bij het uitgaansleven in Bangkok denken de meeste mensen aan smoezelige nachtclubs en massagesalons, go-go-danseressen en prostituees. Sinds de Vietnamoorlog overheerst dit beeld in de Europese media. Toen in de jaren zestig van de 20e eeuw tienduizenden Amerikaanse soldaten op verlof het land in kwamen, schoten de *red-light*-etablissementen als paddestoelen uit de grond.
Hoewel prostitutie officieel verboden is, bieden ruim 300.000 vrouwen en meisjes hun diensten aan aan sekstoeristen uit alle delen van de wereld. Voorzien van een nummer wachten ze in massagesalons achter spiegelglas op klanten, of ze dansen in kleine glitterbikini's op de podia van go-go-bars. De meeste sekstoeristen zetten koers naar Patpong, hét uitgaanscentrum van Bangkok, tussen Silom en Surawong Road. Maar naast de etablissementen die de stad zijn slechte naam bezorgd hebben, is er wel degelijk kwaliteit te vinden. Daarvoor zorgen de jazzclubs en muziekcafés, discotheken met moderne lasertechnologie, mega-bioscopen en trendy gelegenheden die men eerder in Londen of New York zou verwachten. In de meeste discotheken wordt 200 tot 400 baht *cover charge* (toegangsprijs met in de regel een of twee drankjes) gerekend.

Informatie over het uitgaansleven vindt u in het maandelijkse Engelstalige blad 'Metro' (www.bkkmetro.com) en in brochures als 'This Week' of 'Touristways', die in hotels en restaurants gratis verstrekt worden. Een overzicht van wat op een bepaald moment 'in' is, geeft de rubriek 'Nite Owl' in de zaterdageditie van de 'Bangkok Post' (www.bangkokpost.nl). Nachtbrakers moeten niet te laat van start gaan, want om 2 uur gaat alles dicht.

Trendy

Bangkok Bar (D 3)

149 Thanon Ram Buttri
Thanon Chakrabongse, Banglamphoo
dag. 18–2 uur
AC-bus: 2, 3, 6, 9, 11, 12, 15, 39, 44, 153 tot Sanam Luang, dan taxi of tuktuk
expresboot tot aanlegsteiger Phra Arthit
Multi-culti-disco midden in het rumoerige *backpackers*-centrum. Nauwelijks verschillend van vergelijkbare adressen in Londen of New York. Dj Dragon laat *garage-house* met 120 decibel uit de speakers knallen. De inrichting is eenvoudig, de sfeer schemerig, maar tot en met de outfit van het personeel is de ambiance smaakvol.

Cheap Charlie's (L 5)

1 Soi 11, Thanon Sukhumvit
Sukhumvit
dag. 17–24 uur
Sky Train: station Nana
De bezoekers staan op straat en worden door muskieten gestoken, boven de aan de muur bevestigde bar hangt een verzameling van allerlei rotzooi van deze aarde – geen mens kan verklaren waarom dit café sinds jaar en dag een populair ontmoetingspunt van *expats*, buitenlandse inwoners van Bangkok, is. Aan het goedkope bier alleen (Singha 45 baht, Kloster 50 baht) kan het niet liggen.

DDM (C 3)

Thanon Chao Fa, Banglamphoo
dag. 20–2 uur
AC-bus: 2, 3, 6, 9, 11, 12, 15, 39, 44, 153 tot Sanam Luang, dan taxi of de tuk-tuk
expresboot tot Phra Arthit Ferry Pier
Jonge club met housemuziek en veel *farang*bezoekers uit de *traveller*-buurt. Er heerst een koele sfeer en het is er erg luidruchtig. In de weekends is deze club drukbezocht. Dat moet je op de koop toe nemen voor de beste dj's van Bangkok. Soms worden hier ook optredens gegevens door internationaal bekende sterren.

Hot as Hell (G 4/5)

Sasapatasala Bldg.
Chulalongkorn University
Thanon Rama I
Pathumwan
dag. 19–1 uur
Sky Train: station National Stadium
In deze trendy zaak vallen mensen rond de 35 jaar al buiten de boot. Cool is de sfeer, cool zijn ook de gasten. Een must voor gasten die zichzelf graag willen neerzetten!

Lucifer (H 7)

Soi Patpong 1, Thanon Silom
Bangrak
dag. 19–2 uur
Sky Train: station Sala Daeng
Bijna iedereen hier heeft een paar gaten meer in zijn lijf dan bij de geboorte – welkom bij de oor-, neus- en wenkbrauwpiercings. In de meestbesproken techno-tempel van de stad *raven* Bangkoks welstandsjeugd, *expats* en toeristen op perfect gemixte techno. Vroeg in de avond is het er nog uitgestorven, maar vanaf 22 uur breekt de hel los in Lucifer, waar duivelsmaskers en druipstenen, maar bovenal de infernale geluidssterkte, voor een waarlijk 'helse' stemming zorgen. U kunt hier dan ook beter een setje oordoppen mee naartoe nemen!

Old West (J 6)

231/17 Thanon Sarasin, Pathumwan
dag. 19–2 uur
Sky Train: station Ratchadamri, dan taxi of tuk-tuk
Museale onderwereldkroeg met de flair van een *Western Saloon*, met veel gasten op leeftijd die bij de inventaris lijken te horen.

Place to go

Tegenover het Unicef-bureau in de Thanon Phra Arthit (C 3) is aan de Nam Chao Phraya een compleet nieuwe uitgaanswijk ontstaan met verschillende sober, maar wel allemaal origineel ingerichte kroegen, zoals de kleine Bar Bali en Ricky's Coffee Shop, waar u ook terecht kunt voor een hapje. Hier komen jonge Thai en toeristen die genieten van Singha Beer uit de fles en muziek uit blik.

Q-Bar (L 5)

34 Soi 11, Thanon Sukhumvit
Sukhumvit
dag. 18–2 uur
Sky Train: station Nana, dan taxi of tuk-tuk
Trendy muziekbar voor de Bangkokse *jeunesse dorée*, die hier elke avond bij elkaar komt. Goed eten, goede live-muziek (elke zondagavond acid jazz), de waarschijnlijk grootste cocktailkaart van Bangkok, bijzonder exclusief. De portiers laten echter alleen mensen binnen die goed gekleed gaan.

Retro (ten oosten van M 6)

70/9 Ekamai, Soi 63, Thanon Sukhumvit, Sukhumvit
dag. 18–2 uur
Sky Train: station Ekamai
De elegante bar is ingericht in de coole stijl van de jaren vijftig en zestig en vormde het decor voor verschillende Thaise muziek-clips. Retro is momenteel een hoogtepunt in het uitgaansleven. Vooral in de weekends treffen hier aan de ellipsvormige bar de rijke en mooie vertegenwoordigers uit de mode- en mediawereld en de showbizz elkaar. Behalve stijlvol dansen en drinken kan men hier ook verscheidene fantasierijke snacks verorberen. 'Zwart kleden en liefst strak' - alleen zo kan men de bijna onvermurwbare portiers passeren.

Zuurstofbar

De luchtvervuiling in Bangkok is letterlijk adembenemend. Een vindingrijke bareigenaar heeft dus het voorbeeld overgenomen van collega's in Hongkong en Tokyo en de eerste Thaise zuurstofbar geopend. In deze bar kun je niet alleen ontspannen met een drankje en meditatieve muziek, maar ook een flinke dosis zuurstof inademen. Het aroma kiest de gast zelf. Hij kan kiezen uit een aantal verschillende geuren, zoals: eucalyptus, geranium, kamille, lavendel en citroen.
020 – Oxygen Bar (H 5)
Siam Discovery Center
Thanon Rama I, Pathumwan
dag. 11–22 uur
Sky Train: station Siam Square

Disco's

Concept CM2 (H 5)

Novotel Bangkok, Soi 6
Siam Square, Pathumwan
dag. 19–2 uur
Sky Train: station Siam Square
Wie niet goed kon kiezen tussen hiphop, triphop, house, bigbeat, rock en techno had tot voor kort een probleem. Maar met de opening van dit multi-entertainment-center zijn de tijden voorgoed veranderd. Hier zijn verschillende disco's, clubs en cafés onder één dak samengebracht, zodat u naar believen heen en weer kunt lopen. In de voor vrouwen gereserveerde Club La Femme treden elke avond vrouwelijke rockbands op.

Ministry of Sound (L 6)

4 Soi 12, Thanon Sukhumvit
Khlong Toey
dag. 22–2 uur
Sky Train: station Asoke
De nieuwste kick voor *farangs* en '*tuppies*', zoals Thaise yuppies genoemd worden. De dj's mixen moderne dancefloor-music van hiphop, triphop, drum en bass met 'klassieke' rockmuziek en rhythm-'n-blues. Geluids- en lichtin-

stallaties zijn de beste van de stad. Hetzelfde geldt voor de enorme videoprojecties.

Music Café (H 7)

Soi Patpong 1, Thanon Silom, Bangrak
dag. 22–6 uur
Sky Train: station Sala Daeng
Ver na middernacht is deze tot voor kort rustige bar een ontmoetingsplaats voor nachtvlinders van alle gezindten. Als in de naburige go-go-bars de lichten al lang gedoofd zijn, begint hier de rockmuziek pas echt te dreunen en kan het feest beginnen.

Nasa Spacedrome (ten noorden van M 1)

999 Thanon Ramkhamhaeng, Khlongton
dag. 20–2 uur, met het openbaar vervoer moeilijk te bereiken
Een disco-Disneyland in *science-fictionlook* met uitgekiende muziek-, video- en laserinstallaties. De dj's bieden een mengeling van soul, swingende house en dance aan. De verschillende gebieden op meerdere futuristisch ingerichte verdiepingen stellen elke avond rond 2000 bezoekers in staat om naar hartelust uitgebreid te 'soundhoppen'.

Phoebus Amphitheater Complex (ten oosten van M 2)

Thanon Ratchadaphisek, Huay Khwang
dag. 20–2 uur
AC-bus: 15, 18, 22, 136
Een van de populairste dansadressen van de stad. Tot 2000 bezoekers laten zich op verschillende niveaus door disconevels omhullen. Bij het buitensporig grote amusementscentrum, waar vaak ook internationaal bekende bands optreden, horen karaoke-bars en een aantal restaurants die Thaise en internationale gerechten serveren.

Disco-zone RCA 1

Het neonflikkerende uitgaansgebied met bars, pubs en disco's is in de weekends een erg geliefd terrein voor *girls* in navelshirtjes, *boys* met hiphopkleding en allerlei andere trendy jongelui. De iets oudere nachtvlinders gaan naar Absolute Bangkok (tegenover de Brunswick Bowling Alley), waar de dj's moderne mainstreammuziek van drum-'n-bass en house mixen met 'klassieke' rockmuziek.
Royal City Avenue – RCA 1
(ten oosten van M 3)
Thanon Rama IX, Huay Khwang
dag. 20–2 uur
met het openbaar vervoer moeilijk te bereiken

Riva's (ten oosten van M 6)

Sheraton Grande
250 Thanon Sukhumvit, Sukhumvit
dag. 20–2 uur
Sky Train: station Asoke
Een van de hipste danstenten van Bangkok. Geliefd bij ex-yuppen vanaf 40 jaar. Wie niet met de juiste outfit verschijnt, zogenaamd *underdressed*, stuit bij de portiers op graniet...

Spasso (J 5)

Grand Hyatt Erawan Hotel
Thanon Ratchadamri / Thanon Ploenchit
Pathumwan
dag. 12–2.30 uur
Sky Train: station Chit Lom
Combinatie van mediterraan restaurant, een cocktailbar met een zeer uitgebreide drankenkaart en een stijlvolle disco met live muziek. Zeer populair bij Thai uit de bovenste bevolkingslagen, rijke buitenlanders en zakenlieden.

Live bands zorgen voor een soepele overgang van de dinertafel naar de dansvloer.

Muziekcafés met rock, blues en folk

Brown Sugar (J 5)

231/20 Thanon Sarasin, Pathumwan
dag. 19–2 uur
Sky Train: station Ratchadamri, dan taxi of tuk-tuk
Dit bij Thai en *farangs* populaire muziekcafé in de buurt van het Lumpini Park draait al tien jaar op een succesformule: uitstekende soundmix van blues via jazz tot reggae, met koud bier van de tap en fantasierijke snacks. Live bands vanaf 21 uur. Ook jazzgrootheden zoals Gary Burton en Makoto Ozone hebben hier in jamsessies meegespeeld.

El Niño (J 5)

President Tower, Thanon Ploenchit Pathumwan
dag. 18.30–2 uur
Sky Train: station Chit Lom
Salsa, soca, calypso of reggae doen het bloed hier koken. Fantasierijke snacks voor een hoofdzakelijk jong publiek dat aan de bar meedeint op de harde muziek en kauwgom kauwt.

Een tienersdroom: het Hard Rock Café

Hard Rock Café (H 5)

424/3–6 Soi 11, Siam Square
Pathumwan
dag. 11–2 uur
Sky Train: station Siam Square
De McDonald's onder de disco's: je weet wat je krijgt, of je nu in New York, Sydney of Bangkok bent. Rock-devotionalia aan de muur. Maandag tot zaterdag vanaf 22.30 uur staan livebands op de bühne, daarbij neem je een hamburger en Thaise hapjes. Als blikvanger dient een gehalveerde tuk-tuk die boven de ingang uit de muur steekt. Tijdens het happy hour van 17 tot 19 uur geldt: *Pay one, get two!*

Radio City (H 7)

Soi Patpong 1, Thanon Silom
Bangrak
dag. 19–2 uur
Sky Train: station Sala Daeng
In deze muziekbar met cultusstatus die in de rosse buurt van Bangkok al jaren met succes de concurrentie van bonte go-go-bars en obscure sekstenten de baas blijft, wiegt vanaf 23 uur een Thaise Elvis met zijn heupen. Daarvoor staat live rock-'n-roll op het programma. Uitgebreide cocktailkaart.

Round Midnight (J 6)

106/12 Soi Lang Suan / hoek Thanon Sarasin
Pathumwan
dag. 19–2 uur
Sky Train: station Ratchadamri, dan taxi of tuk-tuk
Al jaren een van de drukste muziekcafés van Bangkok, die onlangs een ingrijpende architectonische facelift ondergaan heeft. Aan de muziekkeuze is daarentegen weinig veranderd: rock-'n-roll en rhythm-'n-blues, soms ook jazz; vanaf 21.30 uur treden er meestal bands op.

The Metal Zone Pub (J 5/6)

Soi Lang Suan, Pathumwan
dag. 14–2 uur
Sky Train: station Ratchathewi
Nomen est omen – hier treden de beste heavy-metal-bands in town op.

The Rock Pub (H 4)

93/26–28 Hollywood St.
Thanon Phayathai, Pathumwan
dag. 15–2 uur
Sky Train: station Ratchathewi
Wie genoeg heeft van techno en rave en op heavy metal en hard rock wil dansen, komt hier aan zijn trekken. Op vrijdag, zaterdag en zondag treden er bands op. Soms speelt Lam Morrison, een van de bekendste rockgitaristen van het land, ook mee.

Woodstock Pub (L 5)

Nana Entertainment Plaza, Soi 4
Thanon Sukhumvit, Sukhumvit
dag. 19–2 uur
Sky Train: station Nana
Omgeven door biertentjes in de open lucht met recente voetbalwedstrijden op video en tal van go-go-bars in de buurt biedt de Woodstock Pub volgens eigen zeggen *the best music in Bangkok since 1984*. Voor wie opgroeide in de jaren zestig vormen de rock-klassiekers puur jeugdsentiment.

Jazzclubs

Basil (ten oosten van M 6)

Sheraton Grande, 250 Thanon Sukhumvit, Sukhumvit
dag. 11.30–14.30, 18.30–23.30 uur
Sky Train: station Asoke
Spicy salads, hot curries, cool jazz – bij live-jazz in alle stijlen worden in deze stijlvolle gelegenheid Thaise gerechten geserveerd, waarvan de smaak varieert

van *pleasantly mild* tot *mildly volcanic*. Soms treedt Tewan Sapsenyakorn, Thailands beste jazz-saxofonist, hier op.

Bobby's Arms (H 7)

Soi Patpong 2, Bangrak
dag. 11.30–14, 17.30–1 uur
Sky Train: station Sala Daeng
Ingeklemd tussen de go-go-bars en de massagesalons van Patpong houdt dit Engelse pub-restaurant al jaren stand als onveranderlijke grootheid in het Bangkokse uitgaansleven. Vanaf ongeveer 20.30 uur speelt de veelgeprezen huisband dixieland en swingende jazz. Op de kaart staan Europese en Thaise gerechten.

Foreign Correspondents Club (K 5)

Maneeya Bldg., Thanon Ploenchit
Pathumwan
vr. 20–24 uur
Sky Train: station Chit Lom
Op vrijdagavond houden amateur-jazzmuzikanten jamsessies in de club van de buitenlandse correspondenten die in Bangkok geaccrediteerd zijn. Er spelen geen grote namen mee, maar het niveau is altijd hoog.

Hoogtepunt

Jazzclub Saxophone (J 2)

3/8 Thanon Phayathai
Victory Monument, Phayathai
dag. 18–2 uur
Sky Train: station Victory Monument
De oude dame van de jazzscene in Bangkok. Met veel hout en baksteen ingericht café-restaurant met een gemengd publiek dat een ding gemeen heeft: genieten van goede jazz. Dat wordt hier vanaf 21 uur geboden door een aantal van de allerbeste jazzmuzikanten van Bangkok die alles brengen: van swing en bebop tot dixieland, New Orleans-style en free en cool jazz.

Internationaal

Bräuhaus-Bangkok (ten oosten van M 7)

President Park, Soi 24
Thanon Sukhumvit, Sukhumvit
dag. 17–1.30 uur
Sky Train: station Phrom Pong, dan taxi of tuk-tuk
Wie op degelijke Duitse kost gesteld is, is in deze bierhal op zijn plaats. Het edele, zelfgebrouwen gerstenat vloeit rijkelijk uit de messing bierpompen. Wanneer dan ook nog de blaaskapel begint te spelen, haken Thai en *farangs* broederlijk in. De leiding beweert dat men erop gelet heeft stevige serveersters in dienst te nemen, want een normale slanke Thaise zou er verloren uitzien in een *dirndl* ...

Neil's Tavern (K 6)

58/4 Soi Ruam Rudi, Thanon Ploenchit
Pathumwan
ma.-za. 11.30–14, 17.30–22.30,
zo. 17.30–22.30 uur
Sky Train: station Ploenchit, dan taxi of tuk-tuk
Een typisch Engelse plattelandsherberg midden in het Thaise Bangkok. Al decennia eten gasten hier de beste T-bone-steaks die er in de stad te krijgen zijn, en drinken ze Thais bier of importbier. Het etablissement is vooral erg populair onder de medewerkers van de nabijgelegen diplomatieke vertegenwoordigingen.

The Irish Exchange (H 7)

Sivadon Bldg., 1–5 Thanon Convent
Bangrak

dag. 11–2 uur
Sky Train: station Sala Daeng, dan taxi of tuk-tuk
Het officieuze Ierse culturele centrum van Bangkok is op werkdagen een rustiek ingericht pub-restaurant waar vooral zakenlieden komen. Op vrijdag- en zaterdagavond staan de gasten rijen dik met hun Guinness in de hand voor de bar, want dan treden folk-rock-bandjes op. U kunt hier eventueel ook nog een hapje eten.

Hotelbars en cocktail-lounges

Heli Pad Lounge (E 7)

The Peninsula Hotel, 333 Thanon Charoen Nakhon, Khlong San
dag. 17–23 uur
Sky Train: station Saphan Taksin, dan taxi of tuk-tuk
Een populaire cocktailbar op de 37e etage van een vijfsterrenhotel. Het uitzicht over de rivier en de stad is adembenemend – de prijs voor een drankje overigens ook. De sfeer is echter wel ongedwongen, maar chique kleding is verplicht!

Hoogtepunt

Sunset Bar in Shangri-La Hotel (F 8)

89 Soi Wat Suan Plu Thanon Charoen Krung, Bangrak
dag. 17–20 uur
Sky Train: station Saphan Taksin
Ook wanneer een overnachting in het vijfsterrenhotel boven uw budget is, zou u toch een keer de zonsondergang moeten gaan bekijken vanuit de bar aan de oever van de Mae Nam Chao Phraya – het uitzicht is uniek.

The Bamboo Bar (F 7)

The Oriental, 48 Oriental Ave.
Bangrak
zo.-do. 11–1, vr./za. 11–2 uur
Sky Train: station Saphan Taksin
Aloude ontmoetingsplek van door de wol geverfde Bangkok-bezoekers die hier een afzakkertje nemen na sightseeing of winkelen. In de stijlvolle pianobar treden met enige regelmaat gerenommeerde jazzensembles uit het buitenland op.

The Diplomat Bar (K 5)

Conrad Hotel, All Seasons Place
87 Thanon Witthayu, Pathumwan
zo.–do. 10–1, vr./za. 10–2 uur
Sky Train: station Ploenchit
In de stijl van de jaren dertig, met een hoog gehalte aan promillage en prominenten. De inventaris en de sfeer doen denken aan scènes uit de romans van Graham Greene.

Go-go-bars

Het tot ver over de landsgrenzen bekende **Patpong** bestaat uit twee parallelle straatjes, Patpong 1 en Patpong 2, waaraan meer dan 200 bars, nachtclubs, disco's en cocktaillounges gevestigd zijn. De nachtclubs van de King's Group staan goed bekend.
Soi Cowboy (M 6), een amusementswijk in Sukhumvit tussen Soi 21 en Soi 23 van Sukhumvit Road, wordt veel door *expats*, de in Bangkok wonende buitenlanders, bezocht. Het schijnt dat een Amerikaan hier tijdens de Vietnamoorlog de eerste bar opende, vandaar de naam. Personeel en danseressen daar zijn minder opdringerig dan hun collega's in Patpong. Go-go-bars zijn verder te vinden in het Nana Entertainment Plaza in Soi 4, Sukhumvit Road.

Waarschuwing voor sexshows

'Come in! Live show, sex show! Pussy Ping Pong, Pussy Banana, Pussy Balloon!' Met zulke praatjes proberen portiers klanten dubieuze bars binnen te lokken. Patpong is zo'n valkuil voor toeristen. De bars op de begane grond zijn tamelijk onschuldig, maar een bezoekje aan de nachtclubs op de bovenste verdiepingen is menigeen duur komen te staan. Daar zijn vaak seksshows tegen woekerprijzen. Menig bezoeker die weigerde om de rekening te betalen, werd met 'hardhandige' argumenten overtuigd. In geval van nood met de '*Tourist Police*' dreigen en de bar zo gauw mogelijk verlaten. Informeert u vooral of een '*cover charge*' of een '*show charge*' verwacht wordt.

Homo en lesbisch

Freeman Dance Arena (H 7)

60/18–21 Thanon Silom, Bangrak
dag. 22–2.30 uur
Sky Train: station Sala Daeng
Hét ontmoetingspunt van homo's en *drag queens*, modellen en acteurs, die er komen dansen op hiphop, house, acid jazz en andere hippe muziek. Er worden zeer goede shows van bekende en minder bekende travestiekunstenaars verzorgd.

King's Corner (H 7)

Soi Patpong 1, Thanon Silom, Bangrak
dag. 19–2 uur
Sky Train: station Sala Daeng
In deze bar kun je de fraaiste lichamen van de stad zien, maar als u beter kijkt ziet u dat bij deze adembenemende danseressen heel wat plastische chirurgie toegepast is. Trouwens, ook al missen niet-Thai, niet-gays en niet-popfans de helft van de clous en hints van de travestieshow 's avonds laat, een bezoekje aan King's Corner is onvergetelijk.

Sphinx (H 7)

Soi 4, Thanon Silom, Bangrak
dag. 19–2 uur
Sky Train: station Sala Daeng
De bar met zijn oud-Egyptische interieur grenst aan kitsch en is het kleurrijk toneel voor *lederboys* en *dance queens*, eigenlijk een homo- en lesbitrefpunt. Omdat de een noch de ander dogmatisch is, worden ook hetero's graag geduld.

Tawan Club (H 7)

Soi Tantawan, Thanon Surawong
Bangrak
dag. 20–2 uur
Sky Train: station Sala Daeng
Legendarische gelegenheid voor mannen. Laat op de avond laten Thaise jongens hun spieren zien. De club is zo bekend, dat hij in de 'Spartacus', de internationale homogids, is opgenomen.

Telephone (H 7)

Soi 4, Thanon Silom, Bangrak
dag. 17–2 uur
Sky Train: station Sala Daeng
In deze bar in de Soi Gathoey in de buurt van Patpong voelen de trendy lieden van Bangkok zich op hun plaats. Er komen veel homo's, maar het is geen echte homobar. Zien en gezien worden is het devies. Het is er altijd druk en met de telefoons die op de tafeltjes staan, kunnen de bezoekers andere bezoekers bellen.

Terrassen

Ambassador Beer Garden (L 5)

Ambassador Plaza, tussen Soi 11 en Soi 13, Thanon Sukhumvit
Sukhumvit
tijdens het droge seizoen dag. 16–1 uur
Sky Train: station Nana
Ondanks al het beton zo populair dat vroeg op de avond al geen plekje meer vrij is. Bij de eetstandjes Thaise gerechten, 's avonds is er live muziek.

Revue en cabaret

Calypso Cabaret (H 4)

Asia Hotel, 296 Thanon Phayathai
Ratchathewi
tel. 653 39 60–2 (9–18 uur),
tel. 216 89 37–8 (18–22 uur)
www.calypsocabaret.com
dag. 20.15 en 21.45 uur
kaartjes: 400 baht (voor Thai),
800 baht (voor *farangs*)
Sky Train: station Ratchathewi
Elke avond stelen getalenteerde travestiekunstenaars de show, ze overtreffen de echte Marilyn Monroe, Tina Turner, Michael Jackson, de Spice Girls en anderen. Topamusement! Altijd vol, vroeg reserveren! Aan het eind van de show kunnen de toeschouwers zich met de artiesten laten fotograferen.

DJ Station (H 7)

8/6–8 Soi 2, Thanon Silom, Bangrak
tel. 266 40 29
dag. 22–2 uur
kaartjes: zo.-do. 100 baht, vr./za. 200 baht
Sky Train: station Sala Daeng
In deze club in de homobuurt van Bangkok schitteren de travestieten elke avond tweemaal. De zaak zit altijd propvol!

Het begin van een lange nacht

Amusement

Leeuwendans ter gelegenheid van het Chinese nieuwjaar

Nationale feestdagen

Ze vallen ten dele binnen de hierna genoemde feesten. Tijdens nationale feestdagen zijn kantoren, banken en overheidsinstellingen gesloten, veel winkels zijn echter geopend.

1 januari: Nieuwjaar
6 april: Chakri-dag
13–15 april: Thais nieuwjaarsfeest Songkran
1 mei: dag van de arbeid
5 mei: Kroningsdag
12 augustus: verjaardag van de koningin
23 oktober: Chulalongkorn-dag
5 december: verjaardag van de koning
10 december: grondwetdag

Feestdagen en festivals

Januari tot maart

Chinees Nieuwjaar: tijdens nieuwe maan tussen 21 januari en 19 februari vieren de Thai van Chinese komaf in familiekring en in tempels hun nieuwjaar. Hoogtepunt zijn de kleurrijke draken- en leeuwenparades in de straten van Chinatown en als finale een prachtig vuurwerk.

Makha Pucha: tijdens een volle maan eind februari of begin maart komen de gelovigen in tempels bijeen om Boeddha's preek voor zijn eerste 1250 volgelingen te vieren. Na het invallen van de duisternis schrijden ze drie keer de klok volgend om de pagode, in de handen houden ze kaarsen en wierook.

April

Songkran: de tijd tussen 13 en 15 april staat helemaal in het teken van het traditionele boeddhistische nieuwjaar, een feest der reiniging. Al dagen van tevoren worden huizen en tempels grondig schoongemaakt, boeddhabeelden ritueel gereinigd en versierd. Om de zonden van het oude jaar weg te wassen en het nieuwe jaar rein in te gaan, besprenkelen de mensen elkaar. Uit deze oude traditie heeft zich een van de uitbundigste feesten van het land ontwikkeld dat op sommige plaatsen uitmondt in een regelrecht waterballet, met waterkanonnen en hogedruk waterpistolen. Het is dan ook raadzaam om niet uw beste kleren aan te trekken en om eventuele autoraampjes dicht te draaien, want waar u ook gaat of staat, u krijgt het water met bakken over u heen. Vooral kinderen wachten met gevulde emmers, kommen en plastic zakken op slachtoffers. Ook hotelgasten die net uit hun hotelkamer komen, worden niet gespaard en zijn in de kortste keren drijfnat. Het is het beste om zelf gewoon mee te doen met deze vochtig vrolijke grappen die bovendien een welkome verfrissing zijn tijdens de drukkende aprilhitte.

Mei

De koninklijke ploegceremonie: als beschermheer van de rijstvelden opent de koning elk jaar op een astrologisch gunstige dag in mei met een ploegceremonie op Sanam Luang de zaaitijd. In alle windrichtingen worden drie voren getrokken, waarin brahmaanse priesters uit gouden schalen rijstkorrels strooien. Vervolgens kiezen de trekdieren uit vaten hun lievelingsvoedsel uit. Aan de volgorde waarin ze het aangebodene opeten kan een brahmaan aflezen hoe de oogst zal uitpakken. Nadat koning en priester het toneel verlaten hebben, rapen de boeren de uitgestrooide korrels op, om ze later bij het zaaigoed te doen – dit waarborgt een rijke oogst.

Visakha Pucha: dit grote boeddhistische feest bij volle maan in mei herinnert aan de geboorte, verlichting en intreding tot het Nirvana van Boeddha. Alledrie de gebeurtenissen hebben, weliswaar in verschillende jaren, bij volle maan in mei plaatsgevonden. In optocht trekken de gelovigen na zonsondergang naar de tempels, waar ze al biddend driemaal met brandende kaarsen en wierookstokjes om het centrale heiligdom lopen. Op deze feestdag zijn cafés, nachtclubs en andere gelegenheden gesloten en mag er geen alcohol geschonken worden.

Oktober

Chulalongkorn-dag: op 23 oktober komt een enorme mensenmassa bijeen voor het ruiterstandbeeld van koning Chulalongkorn nabij de troonzaal aan de Thanon Ratchadamnoen Nok om de monarch haar eerbied te betuigen.

November

Loy Krathong: aan het einde van de regentijd vindt het meest aandoenlijke feest van de Thai plaats, het feest van het licht dat ter ere van Mae Khongkha, de goddelijke moeder van het water, gevierd wordt. Iedereen, jong en oud, laat bij volle maan boten van bananenbladeren (helaas vaak ook van piepschuim) de rivieren op drijven, beladen met bloemen, munten, wierookstaafjes en brandende kaarsen. Met dit toverachtige feest, waarbij rivieren, meren en vijvers veranderen in flakkerende lichttapijten, bewijzen de Thai niet alleen de watergodin de eer, maar de bootjes nemen ook de oude zonden mee. Anderen vertrouwen aan de kleine kunstwerkjes hun wensen toe in de hoop dat deze gauw vervuld worden. Het is belangrijk dat de flakkerende kaarsjes lang blijven branden, want dat voorspelt een lang leven voor de afzender.

Feest op de Golden Mount: in processie trekken de gelovigen naar de tempel op de Gouden Berg, om voor een boeddharelikwie te bidden. Aan de voet van de Phu Khao Thong vinden een volksfeest en een tempelmarkt plaats.

December

Verjaardag van koning Bhumibol Adulyadej: ter ere van de hooggeachte monarch worden straten, pleinen en regeringsgebouwen versierd met bloemen, vlaggen en portretten van de koning. Op Sanam Luang vindt op 5 december een volksfeest met danstheater en schaduwspel plaats. Het vuurwerk vormt het hoogtepunt.

Vliegerwedstrijd

Aan de blauwe hemel stralen allerlei vlekken in felle kleuren in de ondergaande zon. Het zijn kunstig met de hand gemaakte vliegers in de vorm van draken die op de wind heen en weer wiegen.
Chula, de grootste mannelijke draak, neemt het op tegen zijn vrouwelijke tegenstander Pakpao. Met zijn duidelijk grotere afmetingen probeert hij haar ter aarde te laten storten. Maar Pakpao is wendbaarder en sneller en slaat zijn aanvallen handig af.
Vliegeren is in Bangkok alles behalve kinderspel. Van februari tot eind april wijden volwassen mannen zich vol overgave aan deze vrijetijdsbesteding. Het strijdtoneel is de **Sanam Luang**, waar vaak duizenden toeschouwers samenkomen om de belangrijkste wedstrijden te zien.

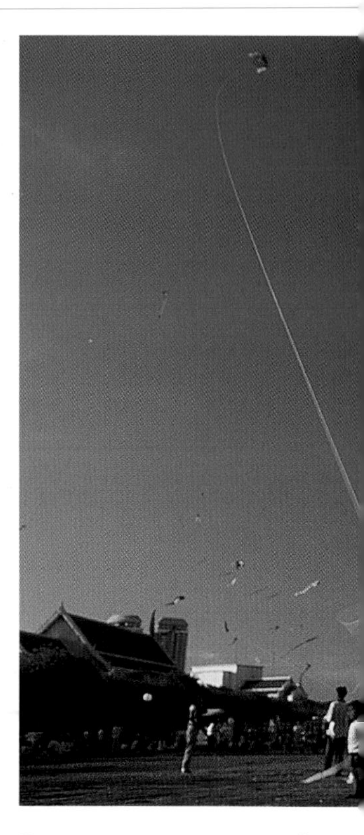

Tickets en informatie

Vaak is het moeilijk om aan de kassa kaartjes voor belangrijke culturele evenementen te bemachtigen. Bestelt u daarom vooraf tijdig bij volgend voorverkoopadres:

Thaiticketmaster (J/K 5)

Central Department Store, Soi Chit Lom, Thanon Ploenchit, Pathumwan
tel. 204 99 99
www.thaiticketmaster.com
Sky Train: station Chit Lom
Het boekingsbureau accepteert reserveringen per creditcard. U kunt de tickets persoonlijk afhalen, laten toesturen of aan de kassa ontvangen.

Evenementen, programma's, kritieken en nieuws

Over actuele gebeurtenissen, evenementen en tentoonstellingen vindt u informatie in het cultuurkatern van de weekendeditie van de beide Engelstalige dagbladen 'Bangkok Post' en 'The Nation'.

Bioscopen

Filmpaleizen als het Scala, Siam en Lido Multiplex zijn allemaal te vinden rond Siam Square. In elk winkelcentrum is ten minste één grotere bioscoop gevestigd. U ziet er meestal in het Thai nagesynchroniseerde films uit de Verenigde Staten, India en Hongkong, naast Thaise producties, waarvan sommige

Engels ondertiteld worden. Wanneer voor het begin van de voorstelling het volkslied weerklinkt, staan alle toeschouwers uit respect op. De Thai ervaren het als een sympathiebetuiging voor hun vaderland en cultuur, als de *farangs* hun voorbeeld volgen. De toegangsprijs bedraagt tussen de 50 en 150 baht.

Theater, dans, opera en maskerades

De in vroeger tijden alleen aan het hof opgevoerde klassieke Thaise dans mag zich tegenwoordig in een grote populariteit verheugen. De maskerdans, *khon*, is een combinatie van dans en toneel, waarbij alle rollen door mannen gespeeld worden. De poses van het dansspel volgen een strenge choreografie.

De voorstellingen draaien meestal om episoden uit de Ramakien, de Thaise versie van het Indiase Ramayana-epos. Kern van de handeling is de ontvoering van Sita, de vrouw van de mythische held Rama Phra Ram, door de demonenkoning Thotsakan.

Lakon, het klassieke danstheater, waarbij alleen vrouwelijke acteurs zonder masker optreden, is een waar feest van kunsten – volgens traditionele regels verenigt het zang, muziek, dichtkunst, dans en beeldende kunst. Naast

episoden uit de Ramakien worden ook boeddhistische sagen en legenden verbeeld.
Maskerdans en danstheater zijn in verschillende restaurants te bewonderen (zie ook blz. 52). Verkorte versies van deze dansen worden regelmatig vertoond bij de Erawan Shrine (Thanon Rama I / Thanon Ratchadamri) en bij de Lak Muang Shrine (zie blz. 109) op Sanam Luang. Op dinsdagavond dansen gekostumeerde dansers voor het King Chulalongkorn Monument aan de Thanon Ratchadamnoen Nok, ter ere van Rama V.

Chalermkrung Royal Theater (D 5)

Thanon Charoen Krung / Thanon Tri Phet
Pahurat
tel. 222 13 25 of 225 87 57–8
kaartjes: afhankelijk van de voorstelling 200–500 baht
AC-bus: 1, 7, 8
Het gerestaureerde theater, tot halverwege de 20e eeuw de grootste en modernste bioscoop van Thailand, vormt het ideale decor voor eersteklas uitvoeringen van klassieke dansdrama's. Tweemaal per week worden verkorte versies van het Ramakien-epos uitgevoerd.

Joe Louis Theater (K 7)

Suan-Lum Night Bazaar, 1875 Thanon Rama IV, Sathorn
tel. 252 96 83 of 252 96 84
dag. 19.30, 20.45, 21.30, 22.45 uur
kaartjes: 600 baht
Sky Train: station Sala Daeng
Sakorn Yangkhiawsod (alias Joe Louis), nationaal artiest van het jaar 1996, heeft het Thaise poppentheater nieuw leven ingeblazen. Hier wordt ook de klassieke maskerdans opgevoerd.

Hoogtepunt 5

National Theater (C 3)

Thanon Na Phra That, Sanam Luang
Rattanakosin
programma-informatie ma.-vr. 8–16.30 uur
tel. 221 01 71
bij veel voorstellingen is de toegang gratis
AC-bus: 2, 3, 6, 7, 12, 15, 39, 44, 153
Studenten van de klassieke danstheateropleiding van het *Department of Fine Arts* laten in het nationale theater van Thailand maskerdans en danstheater zien van zeer hoog artistiek niveau zien. Naast deze klassieke dansen staan hier eigentijdse Thaise en buitenlandse theaterstukken op het programma.

Patravadi Theater (C 5)

Soi Wat Rakhang, Thanon Arun Amarin
Sirirat, Bangkok Noi, Thonburi
tel. 412 72 87
www.patravaditheatre.com
kaartjes: 300–800 baht
moeilijk te bereiken met het openbaar vervoer
De in dit theater actieve regisseurs zijn heel erg vernieuwend, met name bij de vertolking van oude klassieke Aziatische toneelstukken. Dit is het toneel van het jaarlijkse Bangkok Fringe Festival dat ieder jaar van november tot januari gehouden wordt, met een veelzijdig programma van theater, concerten en ballet.

Thailand Cultural Center (ten oosten van M 2)

Thanon Thien Ruammit / Thanon Ratchadaphisek, Huay Khwang
tel. 247 00 28
bij veel voorstellingen is de toegang

gratis, bij de overige betaalt u 100–1000 baht
AC-bus: 15, 18, 22, 136
Etalage van de Thaise cultuur, met theater en een openluchtpodium, waar maskerdans en het klassieke danstheater, bij gelegenheid ook het klassieke Thaise poppentheater opgevoerd worden. Het Thailand Cultural Center is de thuishaven van het Bangkok Symphony Orchestra.

The Chao Phraya River Cultural Center (E 8)

94 Soi 21, Thanon Charoen Nakhon
Khlong San, Thonburi
tel. 439 34 78
dag. 19.30–21.30 uur
kaartjes: 700 baht
moeilijk te bereiken met het openbaar vervoer
Vooral voor toeristen bedoelde, maar toch zeer goede opvoeringen van klassieke maskerdans en danstheater. Tijdens deze voorstelling krijgen de bezoekers een rijk zeebanketdiner opgediend.

Concerten

Channel 5 (J 1/2)

Thanon Paholyothin, Phayathai
zo. 12.30 uur
toegang gratis
Sky Train: station Sanam Pao
De openluchtconcerten die elke zondag op het terrein van de televisiezender Channel 5 (1 km ten noorden van het Victory Monument) door Thaise rock- en popgroepen verzorgd worden, zijn een geweldige hit bij de jeugd van Bangkok. Wie er niet live bij kan zijn, kan dankzij Channel 5, de Thaise tegenhanger van MTV, voor de televisie meegenieten.

Bij het danstheater Lakon treden alleen maar actrices zonder maskers op

Hoewel de Thai erg van kinderen houden en veel hotels, pensions en restaurants op de wensen van gezinnen ingesteld zijn, is een stad als Bangkok niet echt een vakantieparadijs voor kinderen. Daar komt nog bij de vlucht van elf uur. Ook kleine kinderen hebben een eigen paspoort nodig of moeten in de pas van een van de ouders staan.

Voorzorgsmaatregelen

Boven Bangkok hangt vaak dikke smog. Al gauw onderschat men de kracht van de zon. Kinderen moeten beslist met zonnebrandolie ingesmeerd worden, minimaal met beschermingsfactor 20. Bovendien moeten ze een breedgerand hoofddeksel dragen en een T-shirt dat de schouders bedekt. Kleine kinderen in de kinderwagen moeten worden beschermd door een parasol. Een katoenen doek over de kinderwagen is ook heel handig. Vanwege de hitte moet u niet tussen maart en mei met kinderen naar Bangkok reizen.

Kindvriendelijke onderkomens

De meeste hotels zijn op kleine gasten ingesteld en hebben meerpersoons kamers of stellen op verzoek een extra bed ter beschikking. Ideaal voor kinderen zijn hotels met zwembad. Sommige luxere hotels bieden kinderopvang aan.

Uit eten

In de meeste restaurants zijn kinderen van harte welkom. Maar alleen de op toeristen ingestelde gelegenheden hebben westerse kindermaaltijden zoals spaghetti of patat op het menu. Van het Thaise eten lusten *farang*-kinderen graag loempia's, vis- en gehaktballetjes. Ook vinden de meeste kinderen kleefrijst erg lekker. U moet in ieder geval gerechten in de categorie *mai phet* (niet scherp) voor uw kinderen bestellen.

Attracties voor kinderen

Children's Discovery Museum (ten noorden van J 1)

Thanon Paholyothin, Chatuchak
di.-zo. 10–17 uur
kaartjes: volwassenen 70, kinderen 50 baht
Sky Train: station Morchit

Dit populaire kindermuseum presenteert tentoonstellingen rond de thema's natuur en milieu, wetenschap en techniek, cultuur en maatschappij. Omdat dit alles onder andere met video en computeranimatie vol fantasie wordt uitgebeeld en je op allemaal knoppen mag drukken en aan hendels mag trekken, is dit museum voor zowel jong als oud een populaire en avontuurlijke speeltuin.

Dream World (ten noorden van L 1)

Thanon Nakhon Nayok, Rangsit
ma.-vr. 10–17, za., zo. 10–19 uur
kaartjes: volwassenen 150, kinderen 100 baht
lokale trein vanaf Hua Lamphong Railway Station tot Rangsit, dan taxi of tuk-tuk

De beste gelegenheid om zelf actief te worden, krijgen kinderen in het sprookjesland 'Fantasy Land' en in het 'Adventure Land' waar ze op avontuur door de wildernis en de woestijn gaan. Een andere attractie is de reuzewater-glijbaan 'Super Splash' – zwemspullen niet vergeten!

Dusit Zoo (F 1)

711 Thanon Rama V, Dusit
dag. 8–18 uur
kaartjes: volwassenen 40, kinderen 20 baht
AC-bus: 3, 39
De grote dierentuin vormt een goede inleiding op de fauna van het land – kinderen kunnen apen aaien, wilde runderen voeren en op olifanten rijden. Andere attracties voor de kinderen zijn verschillende speelplaatsen en een kunstmatig aangelegd meer waarop kinderen met waterfietsen rondjes kunnen varen.

Safari World (ten noorden van M 1)

99 Thanon Ram Inthra, Minburi
www.safariworld.com
ma.-vr. 9.30–17, za.-zo. 9–18 uur
kaartjes: volwassenen 380 baht (Thai), 650 baht (*farangs*), kinderen tussen 6 en 14 jaar halve prijs, onder 6 jaar gratis toegang
moeilijk te bereiken met het openbaar vervoer; het beste kunt u bij een reisagentschap boeken
Thailands grootste safaripark met giraffen, zebra's, leeuwen, neushoorns en andere Afrikaanse dieren, die u vanuit de auto bekijken kunt. Ieder uur worden er dieren gevoerd of zijn er dressuurnummers te bewonderen. De dolfijnen- en zeeleeuwenshows in het bijbehorende Marine Park zijn het bekijken waard. Op het programma staat verder een stuntshow in een westernstad.

Siam Park (Suan Siam, ten oosten van M 2)

99 Thanon Serithai, Khannayao
ma.-vr. 10–18, za./zo. 10–19 uur
kaartjes: volwassenen 450, kinderen kleiner dan 140 cm 350 baht
moeilijk te bereiken met het openbaar vervoer
Een paradijs voor waterratten met verschillende waterglijbanen, waaronder de 500 m lange Super Spiral, zwembaden, een achtbaan, een vogelpark en het Alaska Fantasy Land, een kunstmatig winterlandschap.

Snake Farm (H 6)

Pasteur Institute, Thanon Rama IV Bangrak
ma.-vr. 8.30–16.30, za., zon- en feestdagen 8.30–12 uur
presentatie met diashow ma.-vr. 10.30 en 14.30, za., zon- en feestdagen 10.30 uur, slangenshow met 'gifmelken' ma.-vr. 11 en 14.30, za., zon- en feestdagen 11 uur
kaartjes: volwassenen 80, kinderen 50 baht
Sky Train: station Sala Daeng, dan taxi of tuk-tuk
Wanneer twee mannen in de slangenkuil afdalen en een 2 m lange koningscobra vangen, houden kinderen hun adem in. Een van de mannen schuift een glasplaatje onder de giftanden. Het heldergele gif dat de slangen afscheiden, wordt bij paarden ingespoten. Als in het bloed van de paarden genoeg antistoffen gevormd zijn, wordt het tegengif eraan onttrokken en naar streken met veel rijstvelden gestuurd waar veel mensen door slangen gebeten worden. Ter afsluiting van dit uitje mogen dappere kinderen zich een python laten omhangen.

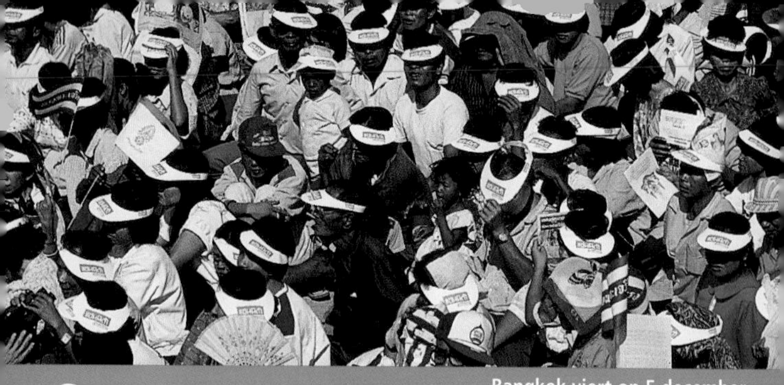

Sport

Bangkok viert op 5 december de verjaardag van de koning

Golf

Golfers kunnen hun passie in Bangkok op verzorgde banen uitleven. Als u vooraf telefonisch laat weten dat u komt, is het in ieder geval op werkdagen meestal geen probleem om als gastspeler in een club toegelaten te worden. Een uitrusting kunt u ter plekke per uur of per dag huren. Leden van Europese golfclubs doen er goed aan om voor vertrek naar Thailand te informeren naar eventuele afspraken met clubs in Bangkok. Met een aanbevelingsbrief van uw thuisclub mag u in de regel gratis gebruik maken van de faciliteiten van de Thaise partner. Anders betaalt u een *greenfee* van 300 tot 500 baht. Bijna alle golfbanen zijn dagelijks van zonsopkomst tot zonsondergang geopend.

Royal Dusik Golf Club (F 2/3)

Royal Turf Club, Thanon Phitsanulok
Dusit
tel. 281 13 30
Sky Train: station National Stadium, dan taxi of tuk-tuk
AC-bus: 9
De centraal gelegen golfbaan (18 holes) overlapt gedeeltelijk de paardenrenbaan; op rendagen is golfen verboden. Populair is *night golf* bij kunstlicht.

Joggen

Het populairste gebied voor hardlopers in het centrum is Lumpini Park, de groene long van Bangkok. Ook in parken gelegen hotels bieden hun gasten joggingbanen, zoals het Siam Inter-Continental en het Hilton. Omdat overdag het percentage schadelijke stoffen in de lucht snel stijgt, kunt u het beste 's morgens vroeg gaan lopen. Aan de rand van de stad worden tochten georganiseerd door Hash House Harriers. Inlichtingen vindt u in het sportkatern van de zaterdageditie van de 'Bangkok Post' of via tel. 647 55 90, innfront@loxinfo.co.th, www.bangkokhhh.com

Paardrijden

Bangkok Equestrian Center (ten oosten van M 6)

20/1 Moo 2, Soi 103 (Soi Chadsanahanrue), Thanon Sukhumvit, Dokmai District, Pravate
tel. 328 02 73
AC-bus: 1, 2, 8, 11, 13, 38
Dit aan de oostelijke rand van Bangkok gelegen paardensportcentrum is de ideale plaats voor buitenritten in het stadsgebied. Aangeboden worden huurpaarden en paardrijlessen.

Schaatsen

World Ice Skating Center (J 5)

World Trade Center (8e verdieping)
Thanon Rama I / Thanon Ratchadamri
Pathumwan
dag. 10–21 uur
kaartjes: 130 baht (10–18 uur), 100 baht (18–21 uur)
Sky Train: station Chit Lom
Schaatsen in de tropen? Geen enkel probleem in Bangkok! Op deze kunstijsbaan van maar liefst 3600 m² op de bovenste verdieping van het World Trade Center maken elke dag honderden schaatsliefhebbers hun rondjes. Bij een buitentemperatuur van 35° C kan dat heel aangenaam zijn. Als u uw schaatsen niet meegenomen heeft kunt u die hier huren.

Zwemmen

Er zijn weliswaar geen openbare zwembaden, maar alle betere hotels en zelfs vele goedkopere pensions hebben hun gasten mooie zwembaden te bieden. Soms bevinden deze zich zelfs op het dakterras, zodat men tijdens het zwemmen van een spectaculair uitzicht kan genieten.

Tennis

Peter Burwash International Tennis Center (E 8)

Marriott Royal Garden Riverside Hotel
257/1 Thanon Charoen Nakhon
Thonburi
tel. 476 00 21
moeilijk te bereiken met het openbaar vervoer
In dit spiksplinternieuwe sportcomplex kunnen bezoekers voor 400 baht een hele dag tennissen. Voor kinderen, jongeren en voor gehandicapten zijn er speciale tennisbanen.

Thai boksen

Bij *muay thai*, de nationale sport en een van de spectaculairste van alle zelfverdedigingssporten, geldt het motto 'Als het maar raak is, dan mag het'. Niet alleen het gezicht, ook andere gevoelige lichaamsdelen mogen met vuisten en voeten bewerkt worden. De regels verbieden alleen het allernoodzakelijkste, zoals bijten, krabben en harentrekken. Als de deelnemers op elkaar inslaan tot er bloed vloeit, zijn de 10.000 toeschouwers uitzinnig van vreugde. Een wedstrijd bestaat uit vijf ronden van drie minuten. De pauzes van twee minuten tussen de ronden zijn bedoeld om de sporters op adem te laten komen; de toeschouwers gebruiken ze echter voor illegale gokpraktijken. De beste wedstrijden worden op televisie uitgezonden.

Lumpini Boxing Stadium (K 7)

Thanon Rama IV, Bangrak
tel. 251 43 03 of 252 87 65
di., vr. 18.30–23, za. 17–20, 20.30–24 uur
kaartjes: 220 baht op de achterste rijen, 920 baht rond de ring
Sky Train: station Sala Daeng
AC-bus: 7, 141

Ratchadamnoen Boxing Stadium (E 3)

Thanon Ratchadamnoen Nok Dusit
tel. 281 42 05 of 280 16 84–6
ma., wo., do. 18–21, zo. 17–20 uur
kaartjes: 250 baht op de achterste rijen, 1000 baht rond de ring
AC-bus: 3, 9

Een duik in de ontspanning

'Als in Siam iemand ziek is, laat hij z'n hele lichaam door iemand die zich daarin bekwaamd heeft, bewerken. Deze gaat op het verzwakte lichaam van de zieke staan en begint met zijn voeten te stampen', rapporteerde Simon de la Loubère al in het jaar 1690. Wat deze Franse diplomaat aan het hof van Siam beschrijft, is niets anders dan een traditionele Thaise massage, die altijd al een belangrijk bestanddeel was van de Thaise geneeskunst.

De geneeskunst kent in Thailand een lange traditie. Al meer dan 2500 jaar geleden was men op de hoogte van kennis en vaardigheden uit China en India en combineerde men die met lokale wetenschap. Vandaag de dag horen de mogelijkheden tot ontspanning in de zogenoemde spa's van de luxe hotels tot de standaard inrichting. Wil men zich van top tot teen laten verwennen, dan kan men kiezen uit massages, kruidenbaden, bronnenbaden, aromatherapie. Ook yoga, meditatie en gezond eten behoren tot de mogelijkheden.

Sommige onspanningshotels zijn gespecialiseerd in medische gezondheidszorg, andere bieden ontspanningsprogramma's, schoonheidsbehandelingen, kruidensauna's, lichaams*peeling*, algenbehandelingen, verfrissende massages met natuurlijke aroma's, honingmaskers voor het gezicht, manicure en pedicure.

Ontspanning

The Westin Banyan Tree (J7)

21/100 Thanon Sathorn Tai, Sathorn
tel. 679 10 52
www.westin-bangkok.com
AC-bus: 15, 67

De ontspanningsoase van het Westin Banyan Tree hotel in de 169 m hoge Thai Wah Tower II is niet alleen voor hotelgasten toegankelijk maar ook voor bezoekers (hoewel de hotelgasten wel voorrang hebben). Naast een sauna en een stoombad zijn er een whirlpool en een zonneterras in de open lucht. Vanuit de van vloer tot plafond van glaswanden voorziene behandelruimtes op de 51e tot de 54e verdieping hebt u een prachtig uitzicht op de stad. De 'spa' biedt 26 vormen van massage, die voor een deel ter plekke zijn ontwikkeld of zijn samengesteld uit verschillende bestaande technieken, daarnaast zijn er vijf ontspanningspakketten. Topper onder de behandelingsmogelijkheden is een zes uur durend ontspannings- en schoonheidsprogramma met een kruiddampenbad, een algehele lichaams*peeling*, een algenbehandeling, een verfrissende massage, een honing-gezichtsmasker. Ook de behandeling van een manicure en een pedicure hoort erbij. Ambiance en behandeling hebben uiteraard wel hun prijs: rond de 6000 baht.

Imperial Queen's Park Hotel (M 6/7)

199 Soi 22, Thanon Sukhumvit
Khlong Toey
tel. 261 90 00
www.imperialhotels.com
Sky Train: station Asoke, dan taxi of tuktuk

De Imperial Mandara Spa in dit luxehotel biedt iets heel bijzonders aan:

twee therapeuten masseren simultaan en hanteren daarbij een combinatie van vijf verschillende massagestijlen – Thai, Reiki, Shiatsu evenals traditionele Balinese en Hawaïaanse 'Lomi-Lomi'-massage-technieken (vanaf 1000 baht per uur).

Pians (D 3)

117 Soi Ram Buttri
Thanon Chakrabongse, Banglamphoo
tel. 629 15 95
AC-bus: 2, 3, 6, 9, 11, 12, 15, 39, 44, 153 tot Sanam Luang, dan taxi of tuk-tuk
expresboot tot Phra Arthit Ferry Pier
Een goedkoop alternatief naast de ontspanningstempels in de dure hotels. Eenvoudige, maar schone ruimten met airconditioning. Zeer professionele massages, gebaseerd op traditionele Thaise technieken. De eigenares volgde haar opleiding tot masseuse in de Koninklijke Massageschool van Wat Pho. Twee uur Thaise massage inclusief handdoeken kost ca. 400 baht.

Badplaatsen

Voortreffelijke baden, die alle therapieën en programma's voor elke gast op maat aanbieden, zijn er ook in:

Bangkok Marriott Resort en Spa
4 Soi 2, Thanon Sukhumvit (K 5)
Sukhumvit
tel. 656 77 00
www.marriotthotels.com/bkkth
Sky Train: station Nana

The Oriental
48 Oriental Ave. (F 7), Bangrak
tel. 236 77 77
www.mandarin-oriental.com
Sky Train: station Saphan Taksin

Peninsula Hotel
333 Thanon Charoen Nakhon, Khlong San (E 7), Thonburi
tel. 861 28 88
www.peninsula.com

Sheraton Grande Hotel
250 Thanon Sukhumvit
Khlong Toey (M 6)
tel. 653 03 33
www.starwood.com/bangkok
Sky Train: station Asoke

Gezondheidstoerisme

Niet alleen schoonheidsoperaties zijn in Thailand een stuk goedkoper dan thuis. In het algemeen liggen de kosten voor medische behandelingen of de jaarlijkse dokterscontrole een stuk lager. In tandartspraktijken die uitgerust zijn volgens Europese normen, wordt voor prothesen minder dan de helft van de kosten in Nederland in rekening gebracht.
Het Bumrung-rad Hospital heeft een uitstekende reputatie, en trekt met zijn exclusieve inrichting steeds meer patiënten uit de hele wereld naar Bangkok. Voor een medisch consult wordt een bedrag van ongeveer € 10 in rekening gebracht, voor een grondig hartonderzoek ongeveer €100. De modernste techniek, hooggekwalificeerde en gespecialiseerde artsen waarborgen doelmatige behandelingen en operaties. Het vriendelijke, Engelssprekende personeel en de vijfsterrenservice zorgen ervoor dat de patiënten gauw vergeten dat ze in een ziekenhuis liggen.

Bumrungrad Hospital
33 Soi 3, Thanon Sukhumvit (K/L 5), Sukhumvit
tel. 667 10 00, fax 667 25 25, www.bumrungrad.com

Bezienswaardigheden

Nog maar net plaats voor de bus...

Stadswijken

Banglamphoo (D 3)
AC-bus: 2, 3, 6, 9, 11, 12
expresboot tot aan aanlegsteiger Phra Arthit
De in textiel gespecialiseerde markt- en handelswijk, waarin de belangrijke tempel Wat Bowonniwet staat, heeft zich ontwikkeld tot hét reizigerscentrum. Rugzaktoeristen zoeken hun heil vooral in Khao San Road waar goedkope pensions, restaurants, reisbureaus en winkels zich aaneenrijgen. De oude stad met de belangrijkste bezienswaardigheden van Bangkok ligt hier vlakbij.

Bangrak (F 7/8-H 7)
AC-bus: 2, 4, 5, 15
Sky Train: stations Sala Daeng, Chong Nonsi, Surasak, Saphan Taksin
In Bangrak verheffen zich de wolkenkrabbers van het Central Business District, het hart van de zakenwereld van Bangkok. Aan Silom Road zijn niet alleen banken, maar ook winkelcentra, hotels en restaurants gevestigd.

Chinatown (E 5)
AC-bus: 1, 7
Expresboot tot aanlegsteiger Ratchawong tot Ratchawongse Ferry Pier
zie Extra-route 3, blz. 112

Dusit (F 1/2–G 2/3)
AC-bus: 3, 9, 10, 16, 18, 24, 39, 44, 92
Parken, tuinen en groenstroken bepalen het beeld in deze rustige wijk, waar ook talloze statige villa's en traditionele houten huizen bewaard gebleven zijn. Ook vindt u hier in een weelderig park van het Chitralada Palace, de residentie van de koning, die hier ook een proefboerderij heeft.

Pahurat (D 5)
AC-bus: 6, 7, 8
expresboot tot aan aanlegsteiger Saphan Phut
zie Extra-route 4, blz. 114

Pathumwan (H 5–K 5)
AC-bus: 1, 2, 13, 29, 141

Pathumwan (H 5–K 5)
AC-bus: 1, 2, 13, 29, 141
Sky Train: stations Ploenchit, Chit Lom, Siam Square, National Stadium
Rond Siam Square strekt zich een waar winkelparadijs uit. U vindt er alles van goedkope markten tot stijlvolle winkelgalerijen en enorme warenhuizen. Daarnaast een groot aantal voortreffelijke restaurants, cafés en nachtclubs.

Pratunam (J 4)
AC-bus: 2, 5, 11,12, 13, 15, 38, 139, 140

De wijk, die met de Baiyoke 2 Tower kan bogen op het hoogste gebouw van de stad, wordt beheerst door chaotisch verkeer en drukke markten. Naast Pahurat is Pratunam het tweede belangrijke centrum van de textielgroothandel in de stad. Hiervandaan worden stoffen naar alle delen van de wereld geëxporteerd.

Rattanakosin (C 3–C 5)

AC-bus: 2, 3, 6, 7, 12, 15, 39, 44, 153
expresboot tot aan aanlegsteiger Tha Thien Ferry Pier of Tha Chang Ferry Pier
Het historische hart van de stad klopt in Rattanakosin, de oude stad in de kromming van de Mae Nam Chao Phraya. Nadat koning Rama I in 1782 de hoofdstad van Thonburi naar de westelijke rivieroever verplaatst had, liet hij ter verdediging van zijn stad tussen het noordelijke en het zuidelijke deel van de Chao Phraya een kanaal graven. Zo is het schiereiland Rattanakosin ontstaan. Daar liggen rond Sanam Luang de belangrijkste attracties van Bangkok: het Grote Paleis, het Nationaal Museum en tot slot de schitterende tempelcomplexen Wat Phra Kaeo, Wat Pho en Wat Mahathat. Vanaf de aanlegsteiger Tha Thien nabij de Wat Pho is de Wat Arun, de 'tempel van de dageraad', op de andere oever van de Chao Phraya gemakkelijk te bereiken. Een korte wandeling verder ligt de historische wijk rond Sao Ching Cha, de 'reuzenschommel', waar de tempels Wat Ratchabophit en Wat Suthat staan.

Sukhumvit (K 5/6–M 5/6)

AC-bus: 1, 2, 8, 11, 13, 38
Sky Train: stations Nana, Asoke, Phrom Phong, Thong Lo, Ekamai, Phra Khanong, On Nut
In deze wijk in het oosten van Bangkok verblijven de meeste Europeanen, zowel zakenlieden als toeristen. *Farangs* vinden aan de kilometers lange Thanon Sukhumvit en de bijbehorende *sois* uitstekende restaurants, winkels en een veelkleurig uitgaansleven, dat meer te bieden heeft dan go-go-bars in de Soi Cowboy. Het nadeel van deze wijk is de grote afstand tot het oude centrum van de stad. De sfeer in de mondaine Sukhumvit Road wordt danig verstoord door het betonnen tracé van de elektrische spoorbaan, die boven de straat loopt.

Hoogtepunt

Onderweg met de expresboot: Zwarte roetwolken uitstotend sleept een logge motorkotter een serie houten vrachtschepen door het bruine water. Onder oorverdovend lawaai schieten ranke 'langstaart'-boten aangedreven door propellermotoren met hoge snelheid voorbij. Op hun gemak pendelen veerboten vol passagiers van de ene kant van de rivier naar de andere.
De bedrijvigheid op de Chao-Phraya is goed te bekijken vanuit een van de expresboten, die dagelijks van 6 tot 18.40 uur elke 20 min. tussen Nonthaburi in het noorden en Rajburana in het zuiden varen. Ze vormen een goedkope mogelijkheid (vanaf 6 baht) om Bangkok vanaf het water te leren kennen en een kans om zich aan de chronische verkeersdrukte te onttrekken. Vanaf de aanlegsteigers (*tha*) zijn te voet allerlei bezienswaardigheden rond de Sanam Luang te bereiken als ook Chinatown en de grote hotels zoals de Oriental. In plaats van de gewone expresboten zijn er ook de wat duurdere Chao Phraya Tourist Boats, waarbij gidsen in het Engels de bezienswaardigheden becommentariëren.

Thonburi

De zusterstad van Bangkok breidt zich uit op de westoever van de Mae Nam Chao Phraya. Na de verwoesting van Ayutthaya in 1767 verzamelde generaal Taksin zijn troepen in de omgeving van het huidige Thonburi. Historische bouwwerken uit die tijd zijn niet bewaard gebleven. Tegenwoordig is Thonburi een oninteressante industriesatelliet van Bangkok. De grootste attractie van Thonburi zijn de *khlongs*, de smalle waterwegen waarover nog steeds een groot deel van het verkeer loopt (zie ook Extra-route 2, blz. 110). Zeven bruggen, die tijdens het spitsuur hopeloos verstopt raken, overspannen de Chao Phraya. Gelukkig houden boten en veren het personenverkeer gedurende de hele dag overeind.

Gebouwen

Baiyoke 2 Tower (J 3)

222 Thanon Ratchaprarop, Pratunam
tel. 656 30 00
dag. 10.30–22 uur
toegang: Observation Deck volwassenen 120, kinderen 60 baht
Observation Deck en Sky Walk Revolving Roof Deck: volwassenen 140, kinderen 80 baht
AC-bus: 13, 15, 38, 139, 140

De hogesnelheidsliften doen er nog geen minuut over om de bezoekers naar het uitkijkplatform op de 77e verdieping van de Baiyoke 2 Tower te brengen, dat met zijn 309 m het hoogste van Thailand is. Op dit uitkijkplatform of op het draaibare uitkijkplatform op de 84e verdieping hebben bezoekers naar alle kanten een fantastisch uitzicht op de steeds uitdijende metropool. Deze enorme wolkenkrabber rust op 306 pijlers van staalbeton, elk met een doorsnee van 1,5 m, die 56 m diep in de moerasbodem gestoken zijn. Volgens de oorspronkelijke plannen zou de toren 465 m hoog worden en daarmee het hoogste gebouw van de wereld zijn. Door de economische crisis aan het eind van de jaren negentig moest er echter een streep door de rekening worden gezet.

Jim Thompson House (H 4)

6 Soi Kasemsan 2
Thanon Rama I
Pathumwan
tel. 216 73 68
dag. 9–16.30 uur, elke 10 min. rondleiding van een half uur in het Engels
toegang: 100 baht
Sky Train: station National Stadium

De oorspronkelijke eigenaar van dit huis, Jim Thompson, kwam aan het eind van de Tweede Wereldoorlog als agent van de Amerikaanse geheime dienst en verbindingsman voor het Thaise ondergrondse verzet tegen het Japansgezinde regime naar Bangkok. Daar blies hij met de oprichting van de Thai Silk Company de in de vergetelheid geraakte kunst van het zijdespinnen nieuw leven in. Toen hij met Pasen 1967 niet meer terugkeerde van een uitstapje naar de Cameron Highlands in Maleisië, groeide de zijdekoning uit tot een legende. Er gaan de wildste geruchten over zijn raadselachtige verdwijning. Ondanks verschillende zoekacties is Thompson in het oerwoud verborgen gebleven. Zijn midden in weelderig groen gelegen huis, een teakhouten paleis dat uit zes afzonderlijke gebouwen bestaat, staat vol met de mooiste kunstvoorwerpen. U ziet hier de fijne keramiek, kostbaar blauwwit Mingporselein en zeldzame boeddhabeelden. De wanden zijn versierd met zijdeschilderkunst en houtgravures.

Kamthieng House (L/M 5/6)

131 Soi 21 (Soi Asoke)
Thanon Sukhumvit, Sukhumvit
tel. 661 64 70
di.-za. 9–12, 13–17 uur
toegang: 100 baht
Sky Train: station Asoke
Het traditionele, op 36 pijlers gebouwde teakhouten huis uit het noorden van het land is in Bangkok in een tuin weer opgebouwd. Het bouwwerk huisvest een museum dat gewijd is aan de boerencultuur van Noord-Thailand. U ziet er alle mogelijke voorwerpen, van houten ploegen tot weefgetouwen en traditionele kleding van verschillende bergstammen. Op het terrein heeft ook de Siam Society zijn zetel, die zich bezighoudt met onderzoek naar en het behoud van de Thaise cultuur.

Hoogtepunt

Royal Grand Palace en Wat Phra Kaeo (C 4)

Thanon Na Phra Lan / Thanon Sanam Chai, Sanam Luang, Rattanakosin
Royal Grand Palace: ma.-za. 8.30–12, 13–15.30 uur, rondleidingen dag. 10, 10.30, 13.30, 14 uur, niet toegankelijk wanneer de koninklijke familie zich in het paleis ophoudt.
Wat Phra Kaeo: dag. 8.30–15.30 uur; bezoekers in T-shirts, minirokken, met onbedekte schouders of sandalen moeten zich bij de kassa laten aankleden
toegang: (inclusief bezoek aan het Vimanmek-paleis en de koninklijke muntenverzameling): volwassenen 200 baht, kinderen 100 baht, zo. en op boeddhistische feestdagen is de toegang tot de Wat Phra Kaeo gratis, maar de paleisgebouwen zijn dan gesloten
AC-bus: 2, 3, 6, 7, 12, 15, 39, 44, 153
expresboot tot aan aanlegsteiger Tha Chang
Wanneer u het ongeveer 2,5 km^2 grote, door een witte muur omgeven paleisterrein betreedt, waant u zich in de tijd van het oude Siam. Straatrumoer en verkeerschaos lijken ver weg. Hier is Thailand nog helemaal koninkrijk en sprookjesland. De luisterrijke gebouwen stammen uit verschillende tijdperken, die teruggaan tot de stichting van Bangkok aan het eind van de 18e eeuw, en geven een beeld van de stijlopvattingen in de afzonderlijke perioden.

Door een aantal binnenhoven loopt u naar de koninklijke residentie **Chakri Maha Prasat**, die in 1872 ter ere van de 100e verjaardag van de Chakri-dynastie in een Aziatisch-Europese mengstijl herbouwd is, compleet met op de 19e-eeuwse Engelse bouwkunst geïnspireerde façade en Siamese gelaagde daken.

Rechts verheft zich de audiëntiezaal **Dusit Maha Prasat**, een bijzonder fraai voorbeeld van klassieke Thaise bouwkunst, met een gelaagd dak dat bekroond wordt door een negendelige pagode. In het in 1789 opgerichte bouwwerk, het oudste van het complex, worden gestorven leden van de koninklijke familie op Sanam Luang opgebaard voordat ze gecremeerd worden.

Het **Amporn Phimok Prasat** voor de audiëntiezaal staat vanwege de prachtige decoraties en harmonieuze verhoudingen bekend als het 'volmaaktste paviljoen van Thailand'. Vroeger legde de koning hier zijn onderscheidingstekens af voor hij de audiëntiezaal betrad. Het op de Italiaanse renaissance geïnspireerde **Boromabimangebouw** werd in 1882 in opdracht van koning Chulalongkorn gebouwd.

Het voormalige gerechtsgebouw **Amarin Vinichai Prasat**, links voor het hoofdpaleis, dateert uit het einde van de 18e eeuw en wordt gebruikt voor kroningsceremonies.

Tegenwoordig is de koning alleen nog op hoogtijdagen in het Grote Paleis. Bhumibol Adulyadej resideert in het niet voor publiek toegankelijke Chitralada-paleis. Het oude koninklijke paleis wordt voor staatsbanketten en andere officiële gebeurtenissen gebruikt.

Binnen de muren van het Grote Paleis ligt ook het mooiste tempelcomplex van Thailand – de **Wat Phra Kaeo**. Het grootste heiligdom van het land is een fantastische wereld die men als *farangs* optisch noch geestelijk bevatten kan. Tussen de fijnbewerkte torenspitsen, tussen de bontgekleurde demonen, tussen met mozaïekwerk versierde pagoden met gouden vlammen aan de gevels, tussen mythologische fabelwezens en glimmende spiegels krijgt een mens al snel het gevoel dat hij een dwerg is. Op een gouden altaar, 11 m boven de gelovigen, troont in het centrale heiligdom de legendarische **Smaragden Boeddha**, het heiligste boeddhabeeld van het land. Het nauwelijks 75 cm hoge beeldje van groene jade werd meer dan 500 jaar geleden in de buurt van het Noord-Thaise Chiang Mai ontdekt. Na een aantal wonderbaarlijke gebeurtenissen dichtten de Thai het goddelijke macht toe en verbonden het lot van hun land zelfs aan het beeld. Om de Smaragden Boeddha, of Phra Kaeo, waardig onder te kunnen brengen, liet Rama I in 1782 Wat Phra Kaeo bouwen. Driemaal per jaar wordt met veel vertoon het gewaad van de Boeddha verwisseld, een handeling die is voorbehouden aan de koning.

Tegenover de Smaragden Boeddha staat het door twee vergulde *chedi's*

Niet iedereen kijkt met open mond naar de Wat Phra Kaeo

geflankeerde en door *kinari's*, mythologische mengwezens, half mens, half vogel, bewaakte **koninklijke pantheon (Prasat Phra Thepidorm)**, dat levensgrote beelden van de Chakri-koningen herbergt. In de **bibliotheek (Phra Mondhop)** met het piramidevormige dak worden heilige geschriften bewaard.
Ten noorden van de bibliotheek vindt u een stenen model van het tempelcomplex van Angkor Wat in Cambodja. De **gouden chedi (Phra Sri Ratana)** achter de bibliotheek wordt zeer vereerd, want hij bevat relikwieën van de Boeddha. De wandelgang die om het tempelcomplex heen loopt, is met fresco's beschilderd. Ze stellen episoden uit de Ramakien voor, de Thaise versie van het uit India afkomstige Ramayana-epos. Op het terrein van het Grote Paleis kunt u verder de koninklijke munten- en decoratieverzameling en het tempelmuseum bezichtigen.

Hoogtepunt

Suan Pakkard Palace (J 3)

352 Thanon Sri Ayutthaya
Pratunam
tel. 245 49 34
ma.-za. 9–16 uur
toegang: 100 baht
AC-bus: 13, 18, 38, 139, 140

In de schaduw van wolkenkrabbers staan midden in een weelderige tuin met een lotusvijver vijf traditionele Thaise huizen. Elk van de op palen gebouwde teakhouten huizen bevat een uitgelezen verzameling antiek. Tot de kostbaarheden behoort het paviljoen uit de 17e eeuw, dat uit Ayutthaya afkomstig is en hier weer opgebouwd is. Het bouwwerk dankt zijn naam aan het goud- en lakwerk op de binnenmuren, dat episoden uit het leven van de Boeddha voorstelt. In de andere gebouwen zijn boeddhabeelden, schilderijen, porselein, muziekinstrumenten,

Tempelterminologie

Een tempel- of een kloostercomplex met verschillende gebouwen noemt men in Thailand **Wat**.
Het centrale heiligdom met het belangrijkste boeddhabeeld noemt men **Bot**. Hier vinden de inwijdingen en andere belangrijke ceremoniën van de monniken plaats.
De openbare gebedsruimte **Vihara** van een Wat is voor alle gelovigen vrij toegankelijk. Sommige tempels hebben meerdere Vihara's, die men met bepaalde boeddhabeelden inrichtte.
De bibliotheek, **Mondhop** genaamd, is vierkant met een dak van verschillende verdiepingen. Hier bewaart men heilige geschriften, **Tripitaka**.
Sala is een vrij toegankelijke eet- en rustruimte, waarvan het dak door zuilen wordt gedragen. Stoepa is het algemene begrip voor een sacraal bouwwerk dat naar boven toe smaller wordt. In de fundamenten zitten vaak relikwieën van Boeddha of een andere religieuze persoon verborgen. In Thailand onderscheidt men twee soorten **Stoepa** – de klokvormige **Chedi**, die uit Ceylon afkomstig is, en de fallusachtige **Prang**, die de Thai uit de Khmer-architectuur overgenomen hebben.
Prasat is de algemene term voor een tempel of een heiligdom, maar eveneens voor een koninklijk paleis.

khon-maskers en beschilderd keramiek te zien. Als u een kaartje koopt, krijgt u meteen een waaier uitgereikt. Die komt goed van pas bij de rondgang door het complex, want dat is niet voorzien van airco.

Vimanmek Palace (F 1)

Thanon Ratchawithi, Dusit
tel. 628 63 00
dag. 9.30–15 uur, traditionele Thaise dans 10.30, 14 uur
toegang, alleen met decente kleding: 50 baht, gratis met een op dezelfde dag gekocht kaartje voor het Royal Grand Palace en Wat Phra Kaeo
AC-bus: 10, 16, 18

In 1901 gaf koning Chulalongkorn zijn residentie in het Royal Grand Palace op en trok met zijn hofhouding in dit paleis, dat met 81 kamers het grootste teakhouten gebouw ter wereld is. Oorspronkelijk werd het gebouw door de koning gebruikt als zomerresidentie op het eiland Sri Chang. Na de dood van koning Rama V in 1910 raakte het als opslagplaats gebruikte gebouw langzaam maar zeker in verval. Pas in 1982 werd Vimanmek gerestaureerd en in een museum ter ere van koning Chulalongkorn veranderd. De originele inventaris, kunstvoorwerpen en foto's geven een beeld van de feodale levenswijze van die tijd.

Een demon bewaakt de Wat Arun

Tempels

Wat Benchamabophit (F 2)

Thanon Sri Ayutthaya, Dusit
dag. 9–17 uur
toegang: 20 baht
AC-bus: 3, 39
Het in 1899–1900 opgerichte bouwwerk, een prachtige versmelting van Europees classicisme met de traditionele bouwkunst van Thailand, bestaat net als de leeuw voor de hoofdingang uit Carrara-marmer. Ingebed in een tuin met vijvers, waarin schildpadden leven, biedt deze 'marmeren tempel' een volkomen harmonieuze aanblik. In het heiligdom bidden de gelovigen voor een kopie van de Phra Phuttha Chinnarat-Boeddha, een van de mooiste en beroemdste boeddhabeelden van het land. Onder de Boeddha staat een urn met de as van koning Chulalongkorn, die hier een tijd als monnik gewoond heeft. Rond de met marmeren platen betegelde binnenplaats loopt een wandelgang met 52 levensgrote boeddhabeelden, die de verschillende stijlen van de Thaise sacrale kunst vertegenwoordigen.

9 Hoogtepunt

Wat Arun (C 5)

Thanon Arun Amarin, Thonburi
dag. 8.30–17.30 uur
toegang: 20 baht
veerboot vanaf aanlegsteiger Tha Thien
De 79 m hoge middelste toren met afgeronde spits (*prang*) van Wat Arun, die omgeven wordt door vier lagere torens, symboliseert de kosmische berg Mahameru, de zetel van de hindoeïstische goden, en is tegelijkertijd een herkenningspunt in de stad. Een mozaïek van enkele duizenden geglazuurde keramiektegeltjes, die schitteren in het ochtendlicht, siert de toren. Daarom wordt het in 1842 voltooide bouwwerk ook wel 'tempel van de dageraad' genoemd. Het ontstaan van dit mozaïek is een verhaal op zich. Toen de middelste toren bijna klaar was, waren de mozaïeksteentjes die de bouwers gebruikten op. Gelovigen gooiden hun eigen porselein stuk en leverden de scherven in: een goede daad waarmee ze religieuze verdiensten verwierven, die een gunstige uitwerking zouden hebben op hun volgende levens. Bezoekers die geen hoogtevrees hebben kunnen via

vier trappen de toren beklimmen en op de bovenste verdieping genieten van het uitzicht over de Mae Nam Chao Phraya.

Wat Bowonniwet (D 3)

Thanon Bowonniwet, Banglamphoo
dag. 8–18 uur
AC-bus: 2, 3, 6, 9, 11, 12
zie Extra-route 5, blz. 117

Wat Chakrawat (E 5)

Thanon Mahachak, Chinatown
dag. 8–18 uur
AC-bus: 1, 7
zie Extra-route 3, blz. 112

Wat Indraviharn (E 2)

Thanon Samsen, Banglamphoo
dag. 8–18 uur
AC-bus: 3, 6, 17

Een 33 m hoog schitterend boeddhabeeld steekt boven de Wat Indraviharn uit. Pas bij de tweehonderdste verjaardag van Bangkok, in 1982, werd het beeld voltooid en met goud bedekt. De reusachtige teennagel dient als altaar voor offergaven.

Wat Khaek (Sri Mariamman Temple, G 7)

Thanon Silom / Thanon Pan, Bangrak
dag. 9–19 uur
AC-bus: 2, 4, 5, 15
zie Extra-route 4, blz. 115

Wat Mahathat (C 4)

Thanon Phra Chan, Sanam Luang
Rattanakosin
dag. 9–17 uur
AC-bus: 2, 3, 6, 7, 12, 15, 39, 44, 153
zie Extra-route 5, blz. 117

Basketballen voor een historisch decor: Wat Pho

Hoogtepunt

Wat Pho (C 5)

Thanon Chetuphon, Rattanakosin
dag. 8–17 uur
toegang: 20 baht
AC-bus: 6, 7
expresboot tot aan aanlegsteiger Tha Thien

Bangkoks oudste, in 1789 door Rama I opgerichte tempel biedt onderdak aan de beroemdste liggende Boeddha van Thailand. De 46 m lange en 15 m hoge figuur stelt de Boeddha voor bij zijn intrede in het Nirvana. Het beeld werd in de 19e eeuw, onder Rama III, van bakstenen gebouwd en met gips, lak en bladgoud afgewerkt. De zolen van de enorme voeten zijn bezet met 108 paarlemoeren inlegwerkjes, die de symbolen en attributen van de Boeddha voorstellen. In de wandelgangen rond het heiligdom staan 394 vergulde boeddhabeelden uit verschillende stijlperioden. Wat Phra Chetuphon, zoals de volledige naam van de tempel luidt, wordt omgeven door een muur, waarvan de 16 poorten door demonische figuren bewaakt worden. Bij het complex hoort een klooster voor driehonderd monniken en een leercentrum voor traditionele Thaise geneeskunst en massage, waar ook weekendcursussen voor buitenlanders gegeven worden.

Wat Ratchabophit (D 4)

Thanon Ratchabophit, Rattanakosin
dag. 8–19 uur
AC-bus: 1, 7, 8
zie Extra-route 5, blz. 116

Wat Ratchanatda (E 4)

Thanon Maha Chai, Phra Nakhon
dag. 8–19 uur

Massage en meditatie

In de **Wat Pho**, de tempel van de 'rustende Boeddha', bevindt zich ook de bekendste traditionele massageopleiding van Bangkok. In cursussen van zeven tot tien dagen (4500 resp. 7000 baht) krijgen de deelnemers een introductie in de traditionele technieken van het 'hand-werk' van de oeroude Thaise massage, die gebaseerd is op acupressuur en voetreflexmassage. Wie soepel wil worden, kan zich er een uur laten kneden en knijpen (250 baht, dag. 8.30 tot 18 uur, tel. 221 29 74).

In de in 1889 gestichte Mahachulalongkornrajvidyalaya University geven Engelssprekende leraren introductiecursussen in boeddhistische meditatietechnieken (weekendcursussen 1500, langere cursussen 2500 baht):

International Buddhist Meditation Center (C 5), Wat Mahathat, Rattanakosin, tel./fax 623 63 26, AC-bus: 3, 6, 8, 32, 39, 59, 64, 208

Meditatiecursussen in het Engels worden ook aangeboden door:

Wat Bowonniwet (D 3), Thanon Bowonniwet, Banglamphoo tel. 280 08 69, dag. 8–18 uur, AC-bus: 2, 3, 6, 9, 11, 12

Wat Pak Nam (ten zuidwesten van E 8), Phasicharoen tel. 457 61 51–3, dag. 8–18 uur, met het openbaar vervoer moeilijk te bereiken

World Fellowship of Buddhists (M 6), 616 Soi 24, Benjasiri Park Thanon Sukhumvit, Khlong Toey, tel. 661 12 84–7, eerste zondag van de maand, Sky Train: station Phrom Phong

AC-bus: 2, 3, 6, 9, 11, 12, 15, 39, 44, 68, 153
zie Extra-route 5, blz. 117

Wat Sakhet (E 4)
Thanon Chakkaphatdi Phong
Phra Nakhon
dag. 9–17 uur
AC-bus: 15
zie Extra-route 5, blz. 117

Wat Suthat (D 4)
Thanon Bamrung Muang
Phra Nakhon
dag. 8.30–20.30 uur
AC-bus: 8
zie Extra-route 5, blz. 116

Wat Traimit (F 6)
Thanon Charoen Krung
Samphan Thawong
dag. 8.30–17 uur
toegang: 20 baht
AC-bus: 1, 7
Het tempelcomplex in de buurt van het centraal station herbergt een heel bijzondere attractie: een van massief goud gemaakt, 3 m hoog en 5500 kg zwaar boeddhabeeld. Het in de 13e of 14e eeuw gegoten beeld werd later met gips bekleed, zodat de waarde ervan een geheim zou blijven voor de Burmese veroveraars. Zo werd er eeuwenlang nauwelijks aandacht geschonken aan dit beeld. Bij het transport naar een ander onderkomen barstte in 1953 het gips en kwam het pure goud te voorschijn.

Slaapkoppen – nee bedankt!

Vroege vogels kunnen ook in Bangkok de dag sportief beginnen. Elke morgen ontmoeten zielsverwanten elkaar om 6 uur in het Lumpini Park (J 6/7). Ze doen daar aan Tai Chi, Chinees schaduwboksen. Wie het nog nooit gedaan heeft, kan gewoon de voordanser nadoen. Regelmatig zijn er ook cursussen, gratis en voor iedereen.

Musea

Koninklijk sloepenmuseum (Shed of the Royal Barges, B 3)
Khlong Bangkok Noi, Thonburi
tel. 424 00 04
dag. 9.30–15 uur
toegang: 50 baht
zie Extra-route 2, blz. 110

Museum of Forensic Medicine (B 3)
Sirirat Hospital, Thanon Arun Amarin
Bangkok Noi, Thonburi
tel. 259 35 94
ma.-vr. 9–15 uur
expresboot tot aan aanlegsteiger Phrannok
De verzameling van het museum voor forensische geneeskunde in het eerste, in 1888 gestichte westerse ziekenhuis is helemaal niets voor tere zielen. U ziet er onder andere een opengesneden schedel, met nog een projectiel erin, en het gemummificeerde lichaam van een massamoordenaar, die stierf onder het zwaard van de scherprechter. Het wordt afgeraden om het museum vlak na het eten te bezoeken.

National Art Gallery (C/D 3)
Thanon Chao Fa, Banglamphoo
tel. 281 22 24
wo.-zo. 9–16 uur, behalve op feestdagen

toegang: 30 baht
AC-bus: 2, 3, 6, 7, 12, 15, 39, 44, 153
De National Art Gallery is het beste kunstmuseum van het land. Een paar duizend stukken vertegenwoordigen de traditionele en hedendaagse Thaise kunst. De wisselende tentoonstellingen zijn van een bijzonder hoog niveau en zeker een bezoekje waard.

National Museum (C 3)

Thanon Na Phra That, Rattanakosin
tel. 224 14 04
wo.-zo. 9–16 uur, behalve op feestdagen
gratis rondleiding in het Engels op di., wo., do. om 9.30 uur, in het Duits op do. om 9.30 uur (tijden kunnen veranderen!)
toegang: 40 baht
AC-bus: 2, 3, 6, 7, 12, 15, 39, 44, 153
expresboot tot aan aanlegsteiger Tha Chang
De verzameling in het voormalige paleis van de onderkoning documenteert de geschiedenis van het land vanaf de prehistorie tot aan het huidige Bangkok. Te zien zijn archeologische vondsten, realia van vroegere vorsten, houten meubelen met paarlemoeren inlegwerk, traditionele muziekinstrumenten, *khon*-maskers en boeddhabeelden van brons, steen en aardewerk in alle stijlen.
Een bezienswaardigheid op zich is de Phutthaisawan-kapel met unieke wandschilderingen uit de stichtingstijd van de stad, die episoden uit het leven van de Boeddha voorstellen. Het bouwwerk werd in 1787 opgetrokken als onderkomen voor de wonderdoende Phra Phuttha Sihing, een van de hoogstvereerde boeddhabeelden van het land. Volgens de legende werd het bronzen beeld al in de vroegboeddhistische tijd in Sri Lanka gegoten.

Thai Rare Stone en Ashtray Museum (F 6)

1048–1054 Thanon Charoen Krung (dichtbij Soi 26), Bangrak
tel. 236 56 55
www.rarestonemuseum.com
dag. 10–17.30 uur
toegang: volwassenen 100, kinderen 50 baht
AC-bus: 1, 7
Onder de ruim 100.000 stukken die de verzameling rijk is, is een groot aantal zeldzame fossielen te vinden. Verder kunt u in dit aardige museum meer dan 3000 vaak bijzonder oude asbakken uit Thailand, China en Europa bewonderen.

Parken en tuinen

Benjasiri Park (M 6)

tussen Soi 22 en Soi 24
Thanon Sukhumvit, Khlong Toey
Sky Train: station Phrom Phong
Vooral tijdens de lunchpauze komen veel werknemers uit de omringende kantoren en winkelcentra naar het rustige park met zijn bloembedden, lotusvijver en beeldentuin, om daar de lunch te nuttigen.

Chatuchak Park (ten noorden van J 1)

Thanon Paholyothin, Chatuchak
dag. 6–20 uur
Sky Train: station Morchit
Groene long, vrijetijdsoase, picknickplaats – zo zou men het pas aangelegde park tegenover de Northern Bus Terminal kunnen noemen. Vooral in het weekend is het in het park een komen en gaan van *khon*, 'gastarbeiders' uit het verarmde noordoosten van Thailand. Dan spetteren *kai yaang*, lekkere gebakken haantjes, boven de grill, die

gegeten worden met *somtam*, een verschrikkelijk scherpe salade van groene papaja's, en *khaa niao*, kleefrijst. *Farangs* komen er om zich na een bezoek aan de nabijgelegen weekendmarkt te ontspannen.

King Rama IX Royal Park (Suan Luang, ten oosten van M 6)

Soi 103, Thanon Sukhumvit
Phra Khanong
dag. 6–18 uur
toegang: 10 baht
AC-bus: 1, 2, 8, 11, 13, 38 tot Soi 103, dan overstappen op een minibus richting oosten
Het 200 ha grote park aan de oostelijke rand van de stad werd naar aanleiding van de 60e verjaardag van koning Bhumibol Adulyadej op 5 december 1987 geopend. De indeling van het park weerspiegelt de geografische structuur van Thailand. Bij het park hoort ook een botanische tuin, een lotusmeer met vissen en watervogels, en een museum over leven en werk van de negende Rama.

Hoogtepunt

Lumpini Park (J 6/7)

Thanon Rama IV, Bangrak
dag. 6–20 uur
AC-bus: 15, 67, 141
Sky Train: station Sala Daeng
Deze ervaring delen alle bezoekers van Bangkok: het verkeer is oorverdovend, de lucht om te snijden, automobilisten hebben haast en persen zich door het winkelcentrum. Dan duikt er opeens, vlakbij de Thanon Rama IV, een groene oase op, het Lumpini Park.

Sport op de vroege morgen in het Limpini Park

Het Lumpini Park, de oudste groenvoorziening van Bangkok, met idyllische meren, is een gemakkelijk bereikbaar gebied waar mensen kunnen bijkomen van de drukte van de grote stad. 's Morgens doen Chinezen hier hun tai chi-oefeningen, 's middags doen werknemers uit het Central Business District in de schaduw van de bomen een dutje en vroeg op de avond lopen joggers over een 2,5 km lang pad hun rondjes, terwijl bodybuilders hun gewichten heffen. Verliefde paartjes huren een waterfiets om ongestoord samen te kunnen zijn. In de droge tijd geven het Bangkok Symphony Orchestra of buitenlandse musici op zondag laat in de middag gratis concerten. U kunt het park 's nachts beter mijden.

Rommani Nart Park (D/E 4)

Thanon Maha Chai, Phra Nakhon
AC-bus: 1, 5, 7, 8
Het kleine schaduwrijke park is heel geschikt voor een pauze wanneer u in de oude stad bezienswaardigheden aan het bekijken bent. Waar nu stelletjes hand in hand lopen, was vroeger een gevangenis.

Hoogtepunt

Sanam Luang (C 3/4)

Thanon Ratchadamnoen Nai
Rattanakosin
AC-bus: 2, 3, 6, 7, 12, 15, 39, 44, 153
expresboot tot aanlegsteiger Tha Chang

Het 'plein van de koningen', ook Pramane genoemd, voor het Royal Grand Palace en Wat Phra Kaeo is het toneel van koninklijke ceremoniën, maar doet vooral dienst als speelplaats voor de stadsbewoners. In de schaduw van tamarinden spreiden gezinnen picknickmatten uit en kijken naar de *takrao*-spelers. Bij deze Thaise versie van het volleybal mag de rotanbal door de twee teams niet met de handen aangeraakt worden. Straathandelaren verkopen frisdrank en snacks, en handlezers bieden de vele nieuwsgierigen hun diensten aan. Het plein is verschillende keren het toneel geweest van bloedige botsingen tussen demonstranten die meer democratie eisten en het leger, met talloze dodelijke slachtoffers.

Bang Pa-In, de zomerresidentie van de Ayutthayakoningen

Bang Pa-In en Ayutthaya

De leukste manier om de oude hoofdstad van het koninkrijk Siam en het zomerpaleis van de koning in Bang Pa-In te bezoeken is per boot en bus. Ongeveer 20 km ten noorden van het stadscentrum passeert de boot **Ko Kret**, een eilandje in de Mae Nam Chao Phraya, dat ontstaan is toen het noordelijke en het zuidelijke uiteinde van een lus in de rivier door een kanaal met elkaar verbonden werden.

Na het provinciestadje Pathum Thani leggen de boten aan bij het **vogelreservaat Wat Pailom**, waar van december tot juni duizenden gapers uit Bangladesh nestelen.

De volgende halte is het Royal Folk Arts en Craft Center in **Bang Sai**, waar onder auspiciën van de koningin ambachtslieden opgeleid worden. Hier kunt u hoogwaardige souvenirs kopen.

Nog geen 60 km ten noorden van Bangkok ligt in een bocht in de Chao Phraya **Bang Pa-In** met de zomerresidentie van de Ayutthaya-koningen (dag. 9–15.30 uur, toegang: 30 baht). Nadat de Birmezen Ayutthaya in 1767 verwoest hadden, stond het paleis 80 jaar lang leeg. De huidige vorm, een potpourri van oosterse en Europese stijlelementen, is ontstaan onder koning Mongkut en zijn opvolger Chulalongkorn, halverwege de 19e eeuw.

Ayutthaya, 15 km verder naar het noorden, was van 1350 tot 1767 de hoofdstad van het koninkrijk Siam. Na de plundering door de Birmezen is van de oude luister weinig overgebleven, maar toch worden de rond 500 ruïnes van de oude metropool tot de culturele hoogtepunten van Thailand gerekend.

Bezienswaardig zijn vooral Wat Phra Sri Sanphet, de voormalige hoofdtempel van Ayutthaya, Wat Phra Phanan Choeng met zijn reusachtige zittende Boeddha, Wat Ratchaburana, waar in de *prang* de oudste wandschilderingen van het land bewaard gebleven zijn, en het Chandra Kasem-paleis. Vondsten, zoals boeddhabeelden van steen en brons, worden tentoongesteld in het Chao Sam Phraya National Museum.

Heenreis: Veel reisagenten in Bangkok bieden combinaties van bus- en boottochten naar Ayutthaya aan. Aan te bevelen is de River Sun Cruise (vertrek dag. om 8 uur van het River City Shopping Complex, tel. 266 93 16, fax 234 22 50, riversun@riversuncruise.com, www.riversuncruise.com, kaartjes: 750 baht). De boottochten van Chao Phraya Express Boat Service zijn goedkoper, maar deze boten varen maar tot Bang Pa-In (zo. 8 uur van aanlegsteiger Tha Maharat, terug 17.30 uur, tel. 222 53 30, kaartjes: volwassenen 350 baht, kinderen 250 baht).

Ancient City en Crocodile Farm

Haastige toeristen kunnen 30 km ten zuidoosten van Bangkok in **Ancient City** (Muang Boran) in slechts een paar uur tijd de belangrijkste bezienswaardigheden van Thailand bekijken. Daar staan nauwkeurig op schaal nagemaakte modellen van meer dan 100 bouwwerken uit 1500 jaar Thaise geschiedenis. Als een soort 'gekrompen Thailand' heeft het museum precies de vorm van het land. De bezienswaardigheden staan geografisch gezien exact op hun plek.
Bezoekers betreden het 80 ha grote complex bij de grens tussen Maleisië en Thailand. Langs kunstmatige meren en opgeworpen bergen lopen ze naar de miniatuurversie van de hoofdstad van het land. Hier kunnen ze modellen van het Royal Grand Palace en de koningstempel Wat Phra Kaeo bezichtigen. Verder naar het noorden zijn reproducties van bouwwerken te zien die in het echt niet meer bestaan, zoals het Grote Paleis en de Koninklijke Tempel van de in 1767 door de Birmezen verwoeste hoofdstad Ayutthaya. Ook de modellen van een Thais dorp en een drijvende markt zijn interessant om te zien.
In de **Samut Prakarn Crocodile Farm**, 10 km van Ancient City, leven meer dan 30.000 krokodillen in alle groeistadia, van klein tot groot. Er hoort een kleine dierentuin bij deze krokodillenboerderij, waar verschillende keren per dag krokodilworstelwedstrijden en demonstraties met werkolifanten te zien zijn.

Ancient City: km 33 Than Sukhumvit, Samut Prakarn
tel. 323 92 53
www.ancientcity.com
dag. 8–17 uur
toegang: volwassenen 200, kinderen 120 baht
Samut Prakarn Crocodile Farm en Zoo
555 Thanon Taiban, Samut Prakarn
tel. 387 00 20
dag. 7–18 uur
Crocodile Wrestling Show ma.-vr. 9, 10, 11, 13, 14, 15, 16 uur, za., zo. ook 12, 17 uur, olifantenshow dag. 9, 10.30, 11.30, 13.30, 14.30, 15.30, 16.30 uur
voederen van de krokodillen dag. 16.30–17.30 uur
toegang: volwassenen 350 baht, kinderen 200 baht

Heenreis: Beide bezienswaardigheden kunt u het beste bezichtigen in het kader van een in bijna elk hotel of reisburo in Bangkok te boeken dagtocht (rond 1200 baht inclusief lunch).

Damnoen Saduak (drijvende markt)

Een bezoek aan de 'drijvende markt', 110 km ten westen van Bangkok, is niets voor langslapers, want al om 6 uur is het een drukte van belang op het water. Lang voordat de zon opkomt gaan de marktvrouwen met volgeladen *sampans* op weg om hun verse groente en fruit voor de ergste hitte van de middag te verkopen. Vrouwen in drijvende gaar-

Op de drijvende markt

keukens bieden voor het ontbijt een kom rijstsoep aan.
De bruggen over de *khlongs* garanderen het beste uitzicht op het schilderachtige tafereel. Wie over de markt wil varen, kan voor ongeveer 300 baht een boot huren. Een kijkje in het gewone Thaise leven wordt u op zo'n tocht echter nauwelijks gegund, want de 'drijvende markt' is al lang wereldberoemd en de toeristen komen er in dikke drommen op af. Desondanks is het uitstapje aan te bevelen.

Heenreis: Bussen van de Southern Bus Terminal in Bangkok vanaf 4 uur elke 20 minuten, reistijd 1,5 uur, of georganiseerde tochten, deze zijn vaak in combinatie met uitstapjes naar de rivier de Kwai of naar Nakhon Pathom met de 115 m hoge Phra Pathom Chedi (ca. 11 uren, zo'n 1200 baht inclusief lunch).

Buffalo Village

In het themapark 110 km ten noordwesten van Bangkok draait alles om een alledaags werkdier, dat ondanks de mechanisatie ook tegenwoordig nog onontbeerlijk is bij de kleine boeren in Thailand: de waterbuffel (Thais: *khwai*). Trainers tonen met zo'n honderd dieren hoe deze 'Thaise tractoren' in de landbouw ingezet worden. Tot groot plezier van de bezoekers vindt er een spectaculaire waterbuffelrace plaats. Wie zin heeft en wie durft, kan op de rug van zo'n imposant dier met respect afdwingende hoorns een ritje maken.
In het park is tevens een typisch Thais plattelandsdorp. Bovendien is er een prachtige vlinder-, kruiden- en orchideeëntuin en een indrukwekkend gebouw van teakhout, dat als restaurant dient.

Buffalo Village: Suphanburi
tel. 03 558 25 91–3
www.buffalovillage.com
dag. 9–17.30 uur
Buffalo Show ma.-vr. 10.30, 16 uur
za./zo. 10.30, 14, 16 uur
toegang: volwassenen 400, kinderen 200 baht

Heenreis: Bussen vanaf de Northern Bus Terminal in Bangkok rijden niet sneller dan 60 km per

uur. Reistijd ca. 2 uur, of een georganiseerde excursie via een reisbureau, bijv. PP en P Transport, 45/8–9 Thanon Settasiri, tel. 270 03 95–7 ('Rural Experience', ca. 9 uur, ongeveer 1100 baht inclusief lunch).

Rose Garden en Country Resort

Bij het uitgestrekte complex 32 km ten westen van Bangkok horen een luxueus hotel en een van de mooiste golfbanen van het land. Deze golfbaan is bekend over de hele wereld. Elke dag begint om 15 uur de negentig minuten durende 'Cultural Show', die bestaat uit traditionele dansen en zwaardgevechten, Thais boksen en hanengevechten, olifantenshows en demonstraties van oude ambachten. In de nabijgelegen **Samphran Elephant Ground en Zoo** wordt naast olifantendressuur ook een spectaculaire krokodillenshow geboden.

Rose Garden: km 32 Petchkasem Highway
tel. 034 32 25 44
dag. 8–18 uur
voorstellingen vanaf 14.45 uur
toegang: volwassenen 250, kinderen 150 baht

Samphran Elephant Ground en Zoo:
km 32 Petchkasem Highway
tel. 034 31 19 71
dag. 8–17.30 uur
Elephant Show en Crocodile Show
dag. 12.45, 14.20 uur
toegang: volwassenen 400, kinderen 200 baht

Heenreis: Bussen van de Southern Bus Terminal in Bangkok, reistijd ca. 1,5 uur, of georganiseerde tochten via reisbureaus, vaak in combinatie met een bezoek aan Damnoen Saduak Floating Market (9 uur, 850 baht)

Pattaya

De ongeveer 60.000 inwoners tellende badplaats 150 km ten oosten van Bangkok aan de Golf van Thailand stond vroeger bekend als een poel des verderfs. De slechte naam van de plaats was terug te voeren op de tijd van de Vietnamoorlog, toen het Amerikaanse leger hele scheepsladingen *GI's* tegelijk van het strijdtoneel op verlof naar Naklua Beach stuurde. Het vissersdorp groeide uit tot een 'Amerikaanse' stad, compleet met hotels en restaurants, nachtclubs, bars en massagesalons. Pattaya werd het symbool van 'seksparadijs' Thailand.
Ook tegenwoordig is Pattaya allesbehalve een rustig familievakantieoord. Daarvoor zorgen de honderdduizenden toeristen die elk jaar op zoek naar erotische avonturen op het in neonlicht badende nachtleven afkomen. Desondanks is het gevarieerde aanbod van Pattaya al lang niet meer uitsluitend op alleenstaande mannen gericht.
De badplaats lokt met een rijkgeschakeerd aanbod van sportieve activiteiten zoals watersport, parasailing, golf, paardrijden en tennissen. Voor afwisseling van het strandleven zorgen kartingbanen, fitnesscentra, schiet- en bowlingbanen. Dappere bungeejumpers kunnen vanaf een 40 m hoge toren de diepte inspringen. Overal in het stadscentrum zijn massagesalons, die traditionele massages, voetreflex-, rug- en gezichtsmassages aanbieden. Curiosa en gezichtsbedrog zijn te bewonderen in Museum **Ripley's-Believe-It-or-Not**. Bekend is Pattaya vanwege het travestietencabaret van internationaal niveau, zoals ook te zien zijn in **Alcazar** en **Tiffany**.
Bovendien heeft het stadsbestuur de afgelopen jaren de grootste moeite gedaan om de ergste uitwassen van het sekstoerisme uit te bannen. Ook is het een en ander ondernomen om de milieuvervuiling in de hand te krijgen. Zo zorgen waterzuiveringsinstallaties ervoor dat er in de vroeger sterk vervuilde zee nu weer gezwommen kan worden, in ieder geval aan de stranden ten noorden en zuiden van Centraal-Pattaya. Het rustigst en het meest geschikt voor gezinnen met kinderen is de omgeving van het 3 km ten zuiden van de plaats gelegen **Jomtien Beach**.
Populaire bestemmingen voor uitstapjes in de omgeving zijn eilanden als Ko Larn, die door toeristenboten aangedaan worden, de Ancient City en Crocodile Farm, Khao Khaeo Open Zoo met meer dan 300 diersoorten, het zee-aquarium Underwater World, het Monkey Training Center en de Sriracha Tiger Zoo.

Heenreis: Overdag elke 30 min. bussen van de Eastern Bus Terminal in Bangkok, reistijd ongeveer 2,5 uur. Een groot aantal reisbureaus en hotels biedt uitstapjes in comfortabele minibussen. Een taxiritje van Bangkok naar Pattaya kost ongeveer 1500 baht.

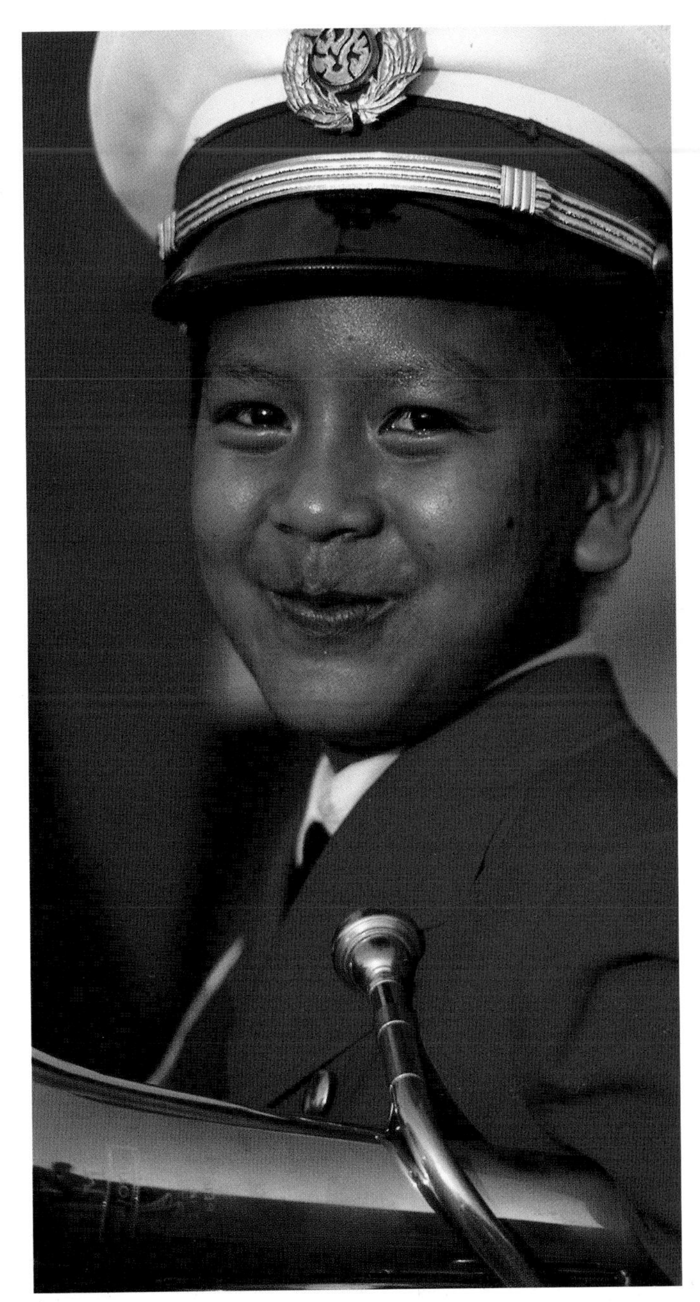

EXTRA-

Vijf wandelingen in Bangkok
1. Geluksroute – naar amuletmarkten, geestenhuisjes en fallusschrijnen
2. Ontdekkingstocht op de *khlongs*

Alle Extra-routes zijn op de grote kaart ingetekend.

routes

3. Tempels, theaters en markten – een zwerftocht door Chinatown
4. Klein-India in Bangkok – naar hindoetempels en Indiase markten
5. Naar de tempels rond Sanam Luang

Extra-route 1

Wie bij de Erawan Shrine bidt, bidt om geluk

Geluksroute – naar amuletmarkten, geestenhuisjes en fallusschrijnen

Bij de Sanam Luang (C 3/4)

Zoals de Thai een heleboel invloeden van buitenaf in hun eigen kunst en manieren overgenomen hebben, zo hebben ze in de loop der eeuwen hun eigen, bij het temperament en cultuur van de Thai passende boeddhisme geschapen.

De Thaise religie is een soort wereldbeschouwing – filosofisch, mythisch en voor Europeanen meestal behoorlijk verwarrend en volkomen onbegrijpelijk. Oeroude animistische gebruiken zijn vermengd met verschillende brahmaanse en hindoeïstische elementen. Zo tiert op slechts een steenworp afstand van Wat Phra Kaeo, het centrum van het boeddhistische leven, het bijgeloof welig. Bij de talloze marktkraampjes voor de Wat Mahathat doen de verkopers van amuletten en talismannen, van votiefkaartjes en geluksstenen erg goede zaken.

Van de eenvoudige boeren tot en met de invloedrijke politici, het leven van de Thai wordt door allerlei onzichtbare machten beheerst, door zowel goede als boze geesten. De gouden regels van de Boeddha alleen zijn lang niet genoeg om het leven het hoofd te bieden. De mens kent duizend angsten; hij heeft dan volgens de Thai ook duizend goden nodig. Eén alleen kan de last niet dragen.

In de halfschaduw van het baldakijn zijn naast boeddha-amuletten, die van kalk en heilig water gemaakt zijn, zogenaamde *sakhot* uitgestald, kleurige draadjes die, om de pols gebonden, tegen kwaadwillende geesten beschermen. *Leglaay*, kleine gouden balletjes met heilige letters erop gegraveerd maken, onder de huid ingeplant, ongevoelig voor pijn.

Wie een groter libido wil, koopt een uit hout gesneden fallus, *klik* genoemd, die voor geluk, doorzettingsvermogen en succes bij het andere geslacht zorgt. Veel Thaise mannen en vrouwen dragen verschillende met magische krachten beladen amuletten en talismannen om de hals, om zichzelf tegen zoveel mogelijk ellende te beschermen.

Overal in het land gelooft men dat tatoeëringen onheil afweren. Astrologen, geomanten en handlezers, die hun stands hebben op Sanam Luang tegenover Wat Phra Kaeo, verdienen hun brood met het bepalen van de beste dag voor een reis, een belangrijke zakelijke overeenkomst of een bruiloft. Kaartleggers voorspellen de studenten van de Thammasat-universiteit de examencijfers en hun verdere vooruitzichten.

Lak Muang (C 4)

Een klein stukje verderop staat aan de oostkant van het 'koninklijke plein' Lak Muang (C 4), een kleine tempel met een bijna drie meter hoge houten zuil, in opdracht van Rama I ter herinnering aan de stichting van de hoofdstad in 1782 gebouwd. Het heiligdom geldt als zetel van de beschermgeest van Bangkok (Phii Muang).

Dag en nacht brengt een gestage stroom gelovigen hier offergaven en bekleden ze de fallusvormige zuil met kleine stukjes kostbaar bladgoud. Hartstochtelijke loterijspelers komen hier hoopvol bidden voor het 'grote geluk'. Sommigen kopen voor de schrijn een schildpad of vogel en laten die vrij. Wanneer de dieren hun vrijheid terugkrijgen gaan – zo vertrouwen zij – de wensen van de gelovigen in vervulling. Als de wensen eenmaal bewaarheid zijn geworden, binden de gelovigen bontgekleurde sjaaltjes om de zuil of bedanken ze de beschermgeest door een uitvoering van klassieke Thaise dansen op het tempelplein te financieren.

Erawan Shrine (J 5)

De schrijn met de vierkoppige hindoegod Brahma op het kruispunt van Thanon Rama I en Thanon Ratchadamri naast het Grand Hyatt Erawan (J 5) mag zich ook in een warme belangstelling verheugen. Toen het luxueuze hotel halverwege de 20e eeuw gebouwd werd, raakte een aantal arbeiders bij raadselachtige ongelukken gewond. Om verder onheil te voorkomen werd de Erawan Shrine opgericht. Al snel werd het heiligdom een officieël bedevaartsoort, omdat het bescherming zou bieden en geluk zou brengen.

Dag en nacht staan er smekelingen om het brahmabeeld heen, waar ze wierookstokjes en kaarsen aansteken en geurige jasmijnslingers neerleggen.

Een meter of twee-, driehonderd verderop brengen kinderloze vrouwen in het **Nai Lert Park** (K 4) bij het Hilton Hotel voor een schrijn met honderden houten falluszuilen offers en proberen zo vervulling van hun kinderwens af te dwingen.

Zelfs in boeddhistische kloosters, zoals in **Wat Pathum Wanaram** (J 5) bij het World Trade Center, bloeit het geloof in geesten. Een monnik die voor een klein huisje op een paal knielt, legt vol ontzag zijn handpalmen tegen elkaar. Voor het huisje, dat eruit ziet als een miniatuurtempel, heeft hij wierookstokjes aangestoken om de Phii Ruan, de huisgeest van het klooster die in het huisje woont, mild te stemmen.

Zulke kleurige huisjes staan in Bangkok overal, ook voor grote hotels en regeringsgebouwen en zowaar in Boeddhistische kloosters. Een mens kan zijn lot niet ontlopen, dat weet elke Thai, maar het kan geen kwaad om de geheime machten met respect te behandelen.

Route-informatie

Lengte: 6–7 km
Het eerste deel aan de Sanam Luang is goed te voet af te leggen.
Naar de Erawan Shrine, het Nai Lert Park en de Wat Pathum Wanaram kunt u beter met de taxi of tuk-tuk.
Duur: 4 uur

Ontdekkingstocht op de *khlongs*

'Venetië van het Oosten'

Ten tijde van de stichting van de stad, aan het eind van de 18e eeuw, werd het personen- en goederenvervoer over kanalen en natuurlijke waterwegen afgewikkeld. In de stadsdelen op de oostoever van de Mae Nam Chao Phraya werden talloze *khlongs* gedempt, zodat waterwegen veranderden in straatwegen. Maar in Thonburi, de zusterstad van Bangkok die zich aan de westkant van de rivier uitstrekt, hebben de *khlongs* nu nog de functie die ze ruim 200 jaar geleden ook al hadden, toen het 'Venetië van het Oosten' aangelegd werd.

Op het uitgestrekte netwerk van waterwegen zijn platte, kielloze boten, die door luidruchtige buitenboordmotoren aangedreven worden, het gebruikelijke vervoermiddel. De betiteling *rüa haang yao* ('langstaartboot') voor de smalle houten boten slaat op de lange achtersteven. Bij een groot aantal aanlegsteigers in de Chao Phraya zijn de snelle boten voor 400 baht per uur te huur. Bij zelfgeorganiseerde tochtjes door de *khlongs* ontstaat vaak wel een probleem – de bootsmannen verstaan meestal geen Engels. Het is dan ook raadzaam om van te voren in het hotel in het Thai te laten opschrijven waar u heen wilt. Een goed vertrekpunt voor een tocht door de *khlongs* van Thonburi is aanlegsteiger Tha Chang in de buurt van Wat Phra Kaeo.

Wat Rakhang Khositaram

De oorsprong van Wat Rakhang Khositaram (B 4) op de andere oever van de rivier ligt in de late 17e eeuw, toen Ayutthaya nog de hoofdstad van Siam was. De schitterend bewerkte houten deuren en raamkozijnen van de bibliotheek, waar koning Rama I zijn monnikentijd doorbracht, getuigen van de virtuositeit van de ambachtsman die ze gemaakt heeft. Net als de 'Ramakien' muurschilderingen worden ze door de experts tot de beste voorbeelden van de Ayutthayakunst van het land gerekend. U vaart verder langs het Sirirat Hospital, het eerste moderne ziekenhuis van de stad, en de aan het begin van de 18e eeuw gebouwde Wat Amarin Traram, naar Khlong Bangkok Noi. Vlak bij de monding van deze *khlong* in de Mae Nam Chao Phraya staat het Koninklijk sloepenmuseum (*Shed of the Royal Barges*).

Koninklijk sloepenmuseum (B 3)

De daar tentoongestelde, met houtsnijwerk en lakwerk gedecoreerde sloepen werden al door Rama VI gebruikt om aan het eind van de boeddhistische vastentijd in het kader van de pompeuze *kathin*-ceremonie nieuwe saffraankleurige monniksgewaden van het Grand Palace naar de monniken van Wat Arun te brengen. Het vlaggenschip van de meer dan 50 boten tellende vloot, die tegenwoordig alleen nog op hoogtijdagen uitvaart, is de 45 meter lange sloep 'Sri Suphannahongse'. De sloep is gemaakt van één enkele teakboom en heeft meer dan 50 roeiers nodig. Aan de boeg van de boot verheft Hamsa zich, het mythische rijdier van de hindoegod Brahma. Andere sloepen zijn met *naga's* (slangen), *garuda's* (vogels) en andere figuren uit de hindoeistisch-boeddhistische mythologie versierd.

Wat Suwannaram (A 2/3)

Wat Suwannaram uit het begin van de 18e eeuw is gedecoreerd met ongebruikelijke, door de Chinese kunstenaar Khong Paeh gemaakte fresco's. In de buurt van de tempel ligt op de oever van Khlong Bangkok Noi de nederzetting **Baan Bu**. De sierkunstenaars die daar wonen maken volgens een oeroud procédé *khan long hin*, prachtige schalen van een goud-, koper- en tinlegering.

Verstopte bezienswaardigheden

Wanneer u Khlong Bangkok Noi verlaat, komt u in een doolhof van smalle waterwegen terecht. Ondanks het lawaai van de buitenboordmotor van de 'langstaart' krijgt u hier een aardige indruk van het kalme leven op en aan het water. De tocht voert langs houten huizen, die ter bescherming tegen hoog water op houten palen gebouwd zijn. In de schaduw van kokospalmen en mangobomen, die op de oevers groeien, nemen *khlong*bewoners een verfrissend bad, terwijl anderen in het bruine water de was of de vaat doen. Dit is allemaal natuurlijk niet zo mooi als het lijkt, maar het herinnert aan de beschrijvingen van de eerste Europese bezoekers van Siam, die Bangkok de bijnaam 'Venetië van het Oosten' gaven.

Taling Chan Floating Market (A 2)

Elk weekend wordt op Khlong Chak Phra de Taling Chan Floating Market gehouden. Al voor zonsopkomst stromen de marktvrouwen met vol groente en fruit geladen boten toe. Ook veel klanten komen al vroeg in de ochtend, want voor het echt heet wordt is de waar nog lekker vers. Drijvende gaarkeukens voorzien hongerige marktvrouwen en toeristen van een warme maaltijd.

Route-informatie

Lengte: 7–8 km
Duur: 3–4 uur
Boothuur: 'langstaart'-booten kunt u aan de Tha Chang Ferry Pier in de buurt van de Wat Phra Kaeo of aan de Tha Chang Wangna Ferry Pier onder de Phra Pin Klao Bridge bij het Bangkok Tourist Center huren (ca. 400 baht per uur).
Openingstijden: Koninklijk 3, dag. 9–17 uur, toegang: 50 baht
Eten: Als afsluiting van de route kunt u uw middag- of avondeten bij Kaloang Home Kitchen in Thewet (zie blz. 48) nagenieten.

Extra-route 3

Achter de coullissen: voorbereiding voor de peking-opera

Tempels, theaters en markten – een zwerftocht door Chinatown

Bangkoks rijke Chinese verleden

Toen koning Rama I in 1782 zijn residentie van Thonburi naar Bangkok verplaatste, woonden op de plek waar nu het Royal Grand Palace en de Wat Phra Kaeo staan Chinese handelaren. Omdat de koninklijke familie het gebied voor zich opeiste, moesten de immigranten een nieuwe nederzetting stichten. Dat werd het huidige Chinatown. In de loop van de tijd groeide het Sampeng genoemde stadsdeel uit tot het belangrijkste handelscentrum van de stad. Ondanks concessies aan het Thaise nationalisme hebben de meesten van de tegenwoordig 500.000 Chinezen hun culturele identiteit weten te behouden. Dit is het duidelijkst te zien aan de Chinese tekens op de neonreclames, maar ook aan de huisaltaren met glimmende schoorstenen voor de winkels.

Overal in Chinatown zult u taoïstische of confucianistische tempels ontdekken. Op Chinese feestdagen kunnen bezoekers op de voorpleinen van de tempels meegenieten van Chinees muziektheater.

Leven in Chinatown

Beginpunt van de wandeling is Wat Traimit, de tempel van de Gouden Boeddha (zie blz. 96). Via Thanon Yaowarat, de belangrijkste straat van Chinatown, bereikt u Thanon Songsawat, waar u in de geringere drukte enigszins tot rust kunt komen. Voor een restaurant worden op straat eenden geplukt, een paar stappen verder halen monteurs een versnellingsbak uit elkaar, hier wordt gegeten, daar ligt een baby in een wieg te slapen, terwijl uit een winkel het typische geklik van een telraam komt.

Door de smalle marktstraat Soi Wanit, waar bijna nooit een toerist verzeild raakt, wurmen de drommen winkelende passanten zich langs elkaar heen. Ze eten een hapje bij een van de vele eetstalletjes, kopen rijst, mie en kruiden, kijken in opengesneden vissen of de visblaas nog heel is – een teken van versheid. Ondanks alle drukte van het dagelijks leven geldt hier nog altijd de oude regel dat een degelijke maaltijd goed is voor de gezondheid.

Wat Chakrawat (E 5)

In Thanon Chakrawat kondigen winkels met tempelbenodigdheden Wat Chakrawat aan. Daar bidden Chinezen en Thai voor een kleine schrijn, waarover ooit de schaduw van de Boeddha zou zijn gevallen. Sinds ruim een halve eeuw leven in een betonnen bassin in een andere hoek van de tempel krokodillen. Uit medelijden namen de monniken ooit een eenogige krokodil in hun klooster op. In de loop van de tijd werden nog meer van deze dieren bij de tempel afgeleverd, die daarmee uitgroeide tot een tehuis voor verweesde krokodillen.

Sampeng Lane (E 5)

In het smalle Sampeng Lane, het hart van Chinatown, liggen de balen stof, schoenen, schalen en pannen tot ver in de steeg opgestapeld, zodat voorbijgangers slalom moeten lopen om langs de kraampjes heen te komen. Eens was dit hét financiële centrum van Bangkok, maar tegelijk ook een beruchte plaats vol bordelen, gok- en opiumhallen. Aan de andere kant van Thanon Chak Phet gaat Chinatown naadloos over in de Indiase wijk Pahurat (zie Extra-route 4, blz. 114).

Thanon Charoen Krung (E 5)

In Thanon Charoen Krung vindt u elegante sieradenwinkels en exotische apotheken, die geneeskrachtige planten, kruiden, insecten en andere middelen van de Chinese geneeskunst verkopen. Aan de hand van geheimzinnige recepten mengen de apothekers voor elke klant het juiste medicijn.

Wat Leng Noi Yee (E 5)

Voor de confucianistische tempel Wat Leng Noi Yee (ook Wat Manghon genoemd) in Thanon Charoen Krung vermengt de geur van wierook zich met de stank van uitlaatgassen. In de tempel met boeddhistische, confucianistische en taoïstische altaren is het altijd een drukte van belang. Gelovigen steken voor een altaar wierookstokjes aan, anderen schudden uit een beker van bamboe een genummerd staafje en krijgen van een tempeldienaar het bijbehorende briefje met een toekomstvoorspelling erop. 's Avonds geven toneelspelers soms een voorstelling van Chinees muziektheater.

Lee Thi Miew Temple (E 5)

Als u het tempelcomplex door de achteruitgang verlaat, komt u in Soi 21 bij de Thais-boeddhistische tempel Wat Khanikaphon. Het is maar een paar stappen lopen naar Thanon Phlao Phla Chai met de Lee Thi Miew Temple, waarvan de gevel versierd is met stenen dierfiguren uit de Chinese mythologie. Hier staan naast boeddhabeelden ook beelden van Chinese goden. Opdat het de voorvaderen aan niets ontbreekt wat hen op deze wereld toebehoorde, en opdat ze het lot van de levenden op gunstige wijze sturen, stuurt men door middel van een oven per vlammenpost papiergeld of huizen en auto's van papier naar de hemel. Ter vermaak van zowel de levenden als de doden wordt af en toe een schaduwspel opgevoerd.

Route-informatie

Lengte: 3 km
Duur: 3–4 uur. De wirwar van smalle steegjes in Chinatown kunt u prima te voet verkennen.
Eten: Talrijke Chinese restaurants in alle categorieën, aan te bevelen: Hua Seng Hong, 371–373 Thanon Yaowarat (E 5), tel. 222 06 35, dag. 9–23 uur, gerechten 50–150 baht; eenvoudige inrichting, prima kantonese keuken, specialiteit van het huis is de beroemde en beruchte haaienvinnensoep.

Extra-route 4

De veelkleurige poort van de Sri Mariammam Temple

Klein-India in Bangkok – naar hindoetempels en Indiase markten

Indische sferen

Elke dag bezoeken grote aantallen toeristen uit alle delen van de wereld Bangkoks Chinatown. De meeste bezoekers staan verbaasd te kijken wanneer ze midden in de Chinese enclave plotseling in een wijk vol Indiase winkels terechtkomen, waar het sterk naar kruiden geurt en in de restaurants *tandoori*-gerechten geserveerd worden, een buurt die nog het meest doet denken aan een bazaar in Calcutta of Delhi.

Pahurat Market (D 5)

Bangkoks Klein-India is ontstaan rond Chak Phet Road en de in de textielhandel gespecialiseerde Pahurat Market in het hart van Chinatown. De eerste immigrant van het Indiase subcontinent kwam volgens de overlevering in 1884 in Bangkok aan. Om bij de koning van Siam in de gunst te komen bood hij hem een Arabische hengst aan. Rama V was zo blij met het geschenk dat hij de man op zijn beurt een witte olifant cadeau gaf. Terug in zijn land bood de Indiase koopman de kostbare olifant de maharadja van Kasjmir aan, waarop deze de handelaar met goud en geschenken overlaadde. Volgens de legende gebruikte de ondernemende koopman de geschenken om een levendige handel tussen India en Thailand op te zetten en waren het zijn familieleden die in Pahurat de eerste Indiase gemeenschap vormden. Tegenwoordig wonen er in Thailand rond 100.000 mensen van Indiase afkomst, veelal sikhs en hindoes uit de Punjab, het noordwesten van India. Veel van hen wonen in het Bangkokse stadsdeel Pahurat, waar ze als textielhandelaren hun brood verdienen. Hun domein is de Pahurat-markt, een doolhof van straatjes vol textielwinkels, waar veel toeristen uit angst om te verdwalen liever uit blijven. In Little India zorgen stapels fluweel- en zijdebalen, goud- en brokaatstoffen, tweed en *mousseline* voor een kleurrijk straatbeeld. De geur van jasmijn en kerrie, van mango's en mottenballen vermengt zich met de walm van wierookstokjes. Toonaangevend zijn hier de sikhs, die ook de meeste kleermakerijen in Bangkok bezitten. In bijna alle winkels verkoopt men zowel in detail- als in groothandel, tegen prijzen die meestal veel lager liggen dan elders. Iedere dag worden er naar men beweert enkele honderduizenden meters stof verkocht. In Pahurat kunt u ook heerlijk Indiaas eten. Bijna legendarisch is Royal India in Chak Phet Road, dat door door de vierde generatie Indische immigranten geleid wordt.

Siri Guru Singh Sabha (D 5)

Hoe goed het de immigranten uit India gaat, valt af te lezen aan de Siri Guru Singh Sabha, die met zijn gouden koepel boven Klein-India uitsteekt. De honderd miljoen kostende sikh-tempel is de grootste buiten India en gefinancierd door Indiase kooplieden, die in Thailand hun rijkdom vonden. Dagelijks komen duizenden mensen naar het met marmer beklede heiligdom, en niet alleen om te bidden. Veel arme mensen komen om zich in de kliniek van de tempel gratis te laten behandelen, of om bij de gemeenschappelijke maaltijd van de sikhs om 8 uur een bordje rijst met kerrie te halen. Tot de sociaal minder geslaagde immigranten worden uit het zuiden van India en Sri Lanka afkomstige Tamils en werkzoekenden uit Bangladesh gerekend.

Vishnu Mandir Temple (D 4)

Ook in de Vishnu Mandir Temple bij het Rommani Nart Park, ten noorden van Indiatown, wordt op vrijdagmiddag gratis eten uitgedeeld. De op een na oudste hindoetempel van Bangkok werd aan het begin van de 20e eeuw gebouwd. Het complex, waarin ook de overkoepelende organisatie van Thaise hindoes haar zetel heeft, is eind januari en begin februari het toneel van het grote hindoefeest Thaipusam, waarbij gelovigen in trance met metalen spiesen door hun wangen gestoken over gloeiende kolen lopen.

Sri Mariammam Temple (G 7)

De Sri Mariammam Temple aan Silom Road, in de jaren zestig van de 19e eeuw door immigranten uit het zuiden van India gebouwd, wordt door de Thai meestal Wat Khaek genoemd – 'tempel van de gasten'. De *gopuram* genoemde torens zijn met bontgekleurde godenfiguren versierd. Deze heiligdommen zijn gewijd aan aan de hindoegod Shiva en zijn echtgenote Uma Dewi. Dat ook Boeddha een plaats in het hindoeïstische pantheon heeft, bewijst zijn beeld in de tempel.

Namdhari Sikhs Temple (M 6)

Het religieuze en culturele centrum van de sikhs van de Namdhari-sekte is aan het begin van Soi 21 van Sukhumvit Road gevestigd. De meeste leden van deze religieuze gemeenschap, die hun haardracht onder een witte, kunstig gevlochten tulband steken, hebben in hun nieuwe vaderland welvaart en aanzien verworven. Traditiegetrouw verzorgen zij in de tempel gemeenschappelijke maaltijden, *langar* genoemd, waarbij ook gasten welkom zijn.

Route-informatie

Lengte: 11–12 km. Little India kunt u te voet verkennen. Naar de Vishnu Mandir Temple, Sri Mariammam Temple en Namdhari Sikhs Temple kunt u beter met een taxi of tuk-tuk.
Duur: 4 uur.
Eten: Vrienden van de Indische keuken komen in Pahurat aan hun trekken. Aan te bevelen: het Royal India, 12-14 Thanon Chak Phet (D 5), tel. 221 57 49, dag. 8–22 uur, gerechten: 50–100 baht. Een uitstekende voedselmarkt vindt u in het winkelcentrum Old Siam Plaza op de kruising van Thanon Pahurat en Thanon Tri Phet (D 5).

Extra-route 5

Golden Mount:
de Chedi van de Wat Sakhet

Naar de tempels rond Sanam Luang

Aan het 'plein van de koningen' staan met het Royal Grand Palace, de Wat Phra Kaeo en de Wat Pho de culturele hoogtepunten van Bangkok. Een wandeling voert langs minder bekende tempelcomplexen, die rond Sanam Luang een oase van rust in de grote stad zijn. Als vertrekpunt is Lak Muang aan te bevelen, de woonplaats van de beschermgeest van Bangkok (zie blz. 109).

Wat Ratchabophit (D 4)

Langs de witte muur van het Royal Grand Palace voert de route via Thanon Sanam Chai naar het kleine park Suan Saranrom. Iets verderop ligt Wat Ratchabophit. Boven de in 1863 gebouwde tempel torent een *chedi* uit, die helemaal bedekt is met Chinese keramiektegeltjes. Let ook op de decoraties in de timpanen van de gebedshallen en op de op een heilige *naga*slang tronende Boeddha in het centrale heiligdom, die kenmerken van de Khmerkunst vertoont.

Wat Suthat (D 4)

Via Thanon Ratchabophit en Thanon Ti Thong loopt u verder naar het uitgestrekte tempelcomplex Wat Suthat, dat aan het begin van de 19e eeuw ontstaan is. In de *bot*, het centrale heiligdom, dat zich in de binnenhof op een platform verheft, zit de acht meter hoge Boeddha Phra Sri Sakyamuni voor zijn 80 belangrijkste volgelingen. Het in de 14e eeuw gegoten, vergulde beeld geldt als de grootste bronzen sculptuur van zijn tijd.

De tempel is beroemd geworden met zijn prachtig gemaakte fresco's, die een oppervlakte van meer dan 2000 m^2 hebben. De fresco's beelden episoden uit het leven van Boeddha of taferelen uit de Ramakien uit. In een hoek van de *wat* stelt een verzameling stenen beelden Europese soldaten voor. De beeltenissen, die net karikaturen zijn, zijn het werk van Chinese beeldhouwers en dienden als ballast op rijstboten die uit China terugkeerden. Rond het tempelcomplex loopt een wandelgang met 156 boeddhabeelden. Uitgeputte voorbijgangers doen vaak een dutje in de schaduwrijke bogengaanderij.

Sao Ching Cha (D 4)

Voor Wat Suthat reikt Sao Ching Cha naar de hemel. Op de 25 meter hoge, rood gelakte 'reuzenschommel' zwaaiden tot in de jaren dertig van de 20e eeuw tijdens een brahmaans feest jonge mannen de lucht in. Het was de bedoeling dat ze, met hun handen of hun

mond, een geldbeurs grepen, die aan een net zo hoge bamboestang bevestigd was. Na een aantal ongevallen met dodelijke afloop kwam er een eind aan de schommelwedstrijden.
In de winkels voor tempeltoebehoren en religieuze voorwerpen in Thanon Bamrung Muang kopen de Thai alles wat ze voor hun bezoeken aan de tempel of de inrichting van hun huisaltaar nodig hebben. Van aalmoesschalen en boeddha-afbeeldingen tot aan ceremonieschermen, het is hier allemaal verkrijgbaar. De kleine presentjes uit de voor de winkels uitgestalde gele plastic emmers geven de gelovigen bij hun bezoek aan de tempel aan de monniken die er wonen.

Wat Ratchanatda (E 4)

Wanneer u bij Thanon Maha Chai links afslaat en langs Wat Thepithdaram loopt, dichtbij een kleine markt met amuletten en religieuze voorwerpen, komt u bij de Wat Ratchanatda. In het midden van het tempelcomplex valt de Loha Prasat op, een verzameling kleine torentjes met ijzeren spitsen, die op drie rechthoekige, boven elkaar gestapelde niveaus gebouwd zijn. Nu en dan maken vriendelijke monniken de toegang naar de wenteltrap open, die naar de bovenste laag van het 'ijzeren paleis' voert. Boven hebt u een prachtig uitzicht over de tempel op Phu Khao Thong oftewel Golden Mount, die aan de overkant van de Klong Ong Ang oprijst.

Golden Mount (E 4)

De rond 70 meter hoge kunstmatige heuvel dankt zijn bijnaam aan de goud glanzende *chedi* van Wat Sakhet. Van Wat Sakhet aan de voet van de Gouden Berg voert een pad naar de pagode. Met de bouw werd in het midden van de 19e eeuw een begin gemaakt. In het relikwiarium wordt een tand van de Boeddha bewaard, die de Britse onderkoning van India in 1863 aan koning Chulalongkorn schonk. De wandschilderingen in het klooster verbeelden alle heerlijkheden van het paradijs en alle verschrikkingen van de hel. Elk jaar vindt in november op de Golden Mount een groots tempelfeest plaats.

Wat Bowonniwet (D 3)

Langs het Democracy Monument, dat in 1933 opgericht werd ter herinnering aan de stichting van de constitutionele monarchie, loopt u verder naar Wat Bowonniwet uit de 19e eeuw. Prins Mongkut leefde hier vele jaren als monnik, tot hij in 1851 als Rama IV zijn halfbroeder opvolgde. Ook de huidige regent, koning Bhumibol Adulyadej bracht een deel van zijn monnikentijd in dit klooster door. De Europees aandoende wandschilderingen in de *bot*, die niet alleen religieuze maar ook wereldlijke onderwerpen behandelen, zijn opmerkelijk.

Wat Mahathat(C 4)

De wandeling eindigt bij Wat Mahathat aan Sanam Luang. Het aan het eind van de 18e eeuw door Rama I gestichte klooster is het centrum van de boeddhistische leer in Bangkok. De meditatieschool van de tempel biedt cursussen voor bezoekers aan (zie blz. 94).

Route-informatie

Lengte: 4–5 km
Duur: 4–5 uur
Eten: Aan Sanam Luang verkopen straatverkopers drankjes en snacks. In de buurt van de tempel zijn kleine Thaise restaurants.

Fotoverantwoording en colofon

Fotoverantwoording:

Omslag: De drijvende markt van Damnoen Saduak
blz. 1: Gouden pracht en praal in Wat Phra Kaeo
blz. 6/7: Koopvrouwen op Sanam Luang
blz. 26/27: Royal Grand Palace en Wat Phra Kaeo
blz. 106/107: In de Sampeng Lane, Chinatown

Yvan Cohan/laif, Köln blz. 68
Ronald Dusik, Lauf blz. 3 boven, 8,28,74,79,105,106/107, achterkant omslag onder
Peter Hirth/transit, Leipzig blz. 9, 94, 116
Gernot Huber/laif, Köln blz. 2, 6/7
Markus Kirchgessner/Bilderberg, Hamburg blz. 3, 26/27, 38, 43, 54, 59, 62, 99, 108, 112, 114, achterkant omslag boven
Martin Kirchner/laif, Köln blz. 77
Renate Loose, Berling blz. 2
G. P. Reichelt/White Star, Hamburg blz. 12, 36, 47, 53
Martin Thomas, Aachen blz. 1, 10, 14, 33, 64, 73, 82, 86, 90, 92/93, 100, 103, 110
Konrad Wothe/Look, München voorblad

Hulp gevraagd!
De informatie in deze reisgids is aan verandering onderhevig. Het kan dus wel eens gebeuren dat u er ter plaatse een andere situatie aantreft dan de auteur. Is de tekst niet meer helemaal correct, laat het ons dan even weten.
Ons adres is: ANWB Uitgeverij Boeken, Buitenland
Postbus 93200
2509 BA Den Haag
buitenlandredactie@anwb.nl

Productie: ANWB Uitgeverij Boeken
Coördinatie: Kim Hendrikx
Vertaling: Terp 10 Communicatie, Oosterbierum
Redactie en opmaak: Terp 10 Communicatie, Oosterbierum
Grafisch concept: Groschwitz, Hamburg
Cartografie: © DuMont Reiseverlag, Köln
Gedrukt in Duitsland

Tweede, herziene druk
ISBN-13: 978-90-18-02011-8
ISBN-10: 90-18-02011-7